スーパー★ノヴァ

ニコール・パンティルイーキス

千葉茂樹◉訳

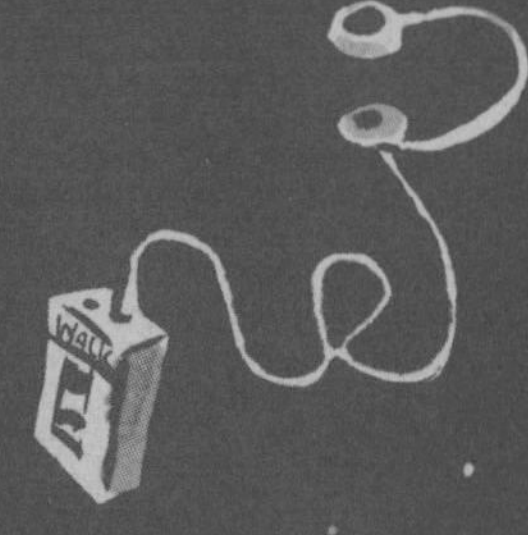

スーパー・ノヴァ

メドーとブレイデン
カリエルとケイレブ
ジョーダン、ジョサイアと
ベンジャミンへ

PLANET EARTH IS BLUE
by Nicole Panteleakos

Japanese translation rights arranged with Nicole Panteleakos
c/o Don Congdon Associates Inc., New York
through Tuttle-Mori Agency, Inc., Tokyo

イラストレーション／100%ORANGE
ブックデザイン／城所潤+大谷浩介（ジュン・キドコロ・デザイン）

1

ブリジットは消えた。

ノヴァはこわれた。

ノヴァはその里親の家からにげだしたくはなかった。十分にいい人たちだったから。たしかにひとつの部屋、三つのベッドを女の子六人でつかうのはたいへんではあったけど。あそこでは、自分だけの空間がほしいブリジットに、プライバシーはまったくなかった。それに、宇宙にいるつもりになったノヴァが思う存分手をふりまわしたり、ぴょんぴょんはねたりする場所もなかった。

さらに、シャワーを八分以上つかっちゃいけないというルールもあった。

テレビは見せてもらえなかったし、レコードもきいちゃいけなかった。カフェインのはいった飲み物もいっさいだめ。

それでも、朝ごはんにはほかほかのオートミールがでた。ランチにはつめたいレモネードがついた。夜にはあたたかい毛布もあった。だれもきたないことばでののしったりしなかったし、たたかれることもなかった。ブリジットに、シンデレラみたいに床みがきをさせる人もいなかった。なにもしゃべらないからといって、ノヴァのことをバカよばわりする人もいなかった。なによりもよかったのは、ブリジットとノヴァがいっしょにいられたということだ。

それでも、ブリジットはあそこが大きらいだった。

「ここにはいられない」ブリジットはいつもそういっていた。「もう一日だってがまんできない。頭がおかしくなっちゃうよ」

そのとき、ノヴァは心配はしていなかった。どっちみち、またいっしょにどこかにいくだけだ。

ところが、そのときがやってくると、思っていたのとはちがっていた。移動につきそうソーシャルワーカーはいなかった。おとなたちがサインを交わし合う書類もなかった。ブリジットがふたりを手放す里親をにらみつけることもなかったし、さよならをいうこともなかった。ノヴァとブリジットは、ただ車に乗りこんで走り去った。

そんなことはそれまで一度もなかった。そのせいで、ノヴァはおなかが痛くなった。ノヴァはさよならがきらいだし、それ以上に、いつもとちがうことをするのがきらいだったからだ。
「だいじょうぶだって！」ブリジットはノヴァのおでこにキスしながらいった。「わたしがちゃんとめんどうみるから。これまでだってそうだったでしょ！」

なのに、そのブリジットが消えてしまった。

ノヴァは不安でしょうがない。

ひざをついたノヴァは、胸にしっかりナサベアをかかえて体を前後にゆらしながら、新しい家の自分の部屋を見まわした。ナサベアというのはＮＡＳＡ（アメリカ航空宇宙局）公認のクマのぬいぐるみだ。

自分だけの部屋をあたえられたのははじめてだ。ドアをあけると、部屋のおくにダブルベッドがあった。ヘッドボードにはきれいな模様が彫られている。マットレスはふわふわで、枕はもっとふわふわだ。毛布はなめらかな手ざわりで、小さな銀の星がちりばめられたむらさき色。

なにもかもが大きすぎる。

その部屋は細長い形をしていた。窓はふたつある。ひとつは玄関前の庭に面していて、もうひとつは裏庭に面している。その裏庭にはプールがあった。冬のいまはカバーでおおわれている。玄関ドアに通じる小道の先の両脇には、大きなライオンの石像がにらみをきかしている。

夜中になると街灯が全部消えるので、ノヴァはうれしかった。真っ暗闇になるということは、北斗七星が見えるということだから。北斗七星は毎晩、夕食前に太陽が沈む方角の水平線あたりにでる。

なにもかもがすてきすぎる。

二階のお風呂には、手足をゆったりのばせるバスタブがついている。キッチンにはいつも、焼き立てのブラウニーやバナナブレッドの香りがただよっている。テレビはカラーで、リモコンつきだ。ほとんどの部屋にはすきまなくカーペットがしいてあり、お日さまがふりそそぐ窓もたくさんある。

あまりにも理想的な家だ。

ノヴァはその家を自分の家のように感じはじめるのがいやだった。ブリジットはいつもこう警告していた。「自分の家のように感じるようになったら、はなれるのがつらくなるからね」

ノヴァはぬいぐるみのクマをぎゅっと抱きしめて、お姉さんのブリジットがそばにいるのを思い描いた。ブリジットはどうしてあんなふうににげだそうと考えたんだろう？　いまはもう一九八六年の一月だ。ブリジットはこの八月には十八歳になる。そうすれば、ふたりでずっと計画していたように、ブリジットが自力でノヴァを養育できるようになる。

なのに、ブリジットは消えてしまった。

ノヴァはひとりぼっちだ。

「月曜から学校がはじまるわよ」新しい里親のお母さん、フランシーンが朝ごはんのときにそういった。

ノヴァは新しい学校にいくのがすごくいやだった。新しい里親のところにくることよりも、もっとだ。いつだって、新しい学校では最初の一、二週間テストばかり。そして結局はいつもおなじ結論になる。

「読めず、話せず、重い知恵おくれ」

ブリジットは「知恵おくれ」ということばが大きらいだった。

「妹は話せないわけじゃありません」きいてくれる人には、だれにでもそういった。「ノヴァはおしゃべりじゃなくて、考える人なんです」

実際、ノヴァはめったに話すことはなかったし、たまに話すときには声の大きさをコントロールするのがむずかしかった。子どもたちがひしめきあうにぎやかな校庭でささやくかと思えば、静かな教会で大声をだした。なんとか、その場にふさわしい声で話せたとしても、そのことばをききとるのはむずかしかった。

「オー」や「ケイ」とはいえても「オーケイ」とはいえなかった。「ウォー」も「ター」もいえるけれど「ウォーター」とはいえない。「クッ」と「キー」はいえても「クッキー」とはいえない。「キャット」のように単純なことばをいおうとしているのに、でてくるのは「ブー」のように、まったくちがう音だったりもする。そんなときは、ノヴァがなんといおうとしているのか、だれにもわからない。ブリジットにさえも。

たいていの場合、ノヴァはわざわざ話そうとはしなかった。

その自分ひとりだけ用の部屋のふわふわの毛布の上で、ノヴァは体を前後にゆらしながら、もう二百万回目にはなるだろうことを考えていた。ブリジットはどこにいってしまったんだろう？　約束はちゃんと守ってくれるんだろうか？　ロケットで宇宙にとびだす最初の学校の先生を、いっしょに見ようという約束を。

「わたしたちがどこにいるとしても、ＮＡＳＡが歴史を作る瞬間をいっしょに見るんだからね。たとえ、一時的にべつべつの場所にいるようなことがあっても、わたしはかならずもどってくる。ぜったいに見のがしたりなんかしない」

　ノヴァもブリジットもスペースシャトル・チャレンジャーの打ちあげをなにがあっても見たかった。一年以上前にレーガン大統領が、かんぺきな教師をえらぶコンテストをすると宣言してからずっとだ。まつのも、もうあとほんのすこしなのが、ノヴァはうれしかった。ブリジットもよろこんでいるだろうか？

　ノヴァはナサベアのおなかにキスした。クマの宇宙用ヘルメットがノヴァのおでこにあたる。そのクマはふたりのほんとうのお母さんからもらったものだ。ふたりのほんとうのお母さん、ママは、一九六九年の月面着陸について、とてもおかしな考えをもっていた。

「あれはね、政府のでっちあげなの！」ママはしょっちゅうそういった。「全部スタジオで撮影されたものなんだから。映画の魔法さまさまってこと！　あなたたちも宇宙飛行士のブーツが土ぼこりを舞いあげたのは見たでしょ？　国旗がはためくのも。月面には風なんか吹かないんだから！　どうしてはためいたりするのよ？　政府のでっちあげだからよ。政府はわたしたちをだましてるってこと」

　ママは、いろんなことを政府のでっちあげのせいにしていた。

「ねえ、ノヴァ?」里親のフランシーンが、すこしだけあいていたドアのすきまから声をかけた。「学校に着ていく服を買いにいかない? 前の家族から送られてきた服は、どれもちょっと小さいみたいだから」

前の家族が送ってきたもののほとんどは、そもそもノヴァのものではなかった。ただ、ノヴァにすり切れたセーターや、ぴちぴちのズボンばかり着せていたと思われたくなくて、大きな段ボール箱いっぱいに、ほかの里子たちが着古した服を送りつけてきただけだ。なかにはノヴァのために買った冬用の重たいコートや、ノヴァの十二歳の誕生日にブリジットからもらったルーズソックスもあった。

その箱のなかで、ノヴァが進んで着るのは、三着のパジャマと、一着の赤いオーバーオール、ブリジットのおさがりの二枚のTシャツだけだった。そのうちの一枚の前には「小さな一歩」ということばがプリントされていて、せなかには月面着陸の日付、「1969.7.20」がプリントされている。もう一枚はデヴィッド・ボウイの一九七八年のワールドツアーの記念Tシャツだ。黒と赤と青のプリントで、ふたりで古着屋で見つけた。

ノヴァの持ち物はそんなにたくさんはない。ナサベア、ブリジットのウォークマンとお気にいりのミックステープ、以前の里親のところにたくさんあった人形のなかからこっそりくすねてきた宇宙飛行士みたいなフィギュア、小さなスパイラルノート、アントワーヌ・サン＝テグジュペリの本『星の王子さま』、色あせた写真が二、三枚と、箱にはいった六十四色のクレヨン、いまはずっと空色だけど、気分によって色が変わるはずの石がついた銀の指輪。

新しい里親のフランシーンとビリーは、ノヴァにおもちゃ箱をくれた。はじめてもらったおもちゃ箱で、ノヴァは自分の宝物を全部そこにしまった。それは大きな木の箱で、ふたには派手なピンクのステンシルの文字で「ジョーニー・ローズ」と書かれていた。

「その箱はね、娘が小さかったころにつかってたものなの」フランシーンがそう説明した。「ジョーニーはピンクが大好きなの。あなたがきてくれるのをすごくよろこんでるわ。この家の末っ子で、ひとりだけ女の子なのがいやなのね。きっと、三人のお兄ちゃんのなかに、女の子が自分だけなのはさびしかったんだと思う」

ジェイムズ、ジョセフ、ジョン。それがお兄さんたちだ。このウェスト家についてすぐ、テレビの上の壁にかかっていた写真を指さしながら、ビリーが教えてくれた。

「わが家の三人兄弟だ！」ビリーは誇らしげだった。「医者のジェイムズ、大工のジョセフ、そしてレクリエーション施設長のジョンだよ」

ノヴァはその三人がどこにいったのかとはたずねなかった。ブリジットみたいに姿を消したのか、とも。もしかしたら、月にいったのかも。ノヴァはそう思いながら、月のクレーターの上をふわふわただよう男の子たちを思い描いた。ジェイムズは聴診器を首にかけ、ジョセフはハンマーをにぎっている。でも、レクリエーション施設長というのが、なにをもっているのかはわからなかった。

「毎年、クリスマスになると、ジョーニーはサンタに妹をくださいって手紙を書いてたわ。でも、そのころ、わが家は手いっぱいだったから」

ノヴァはフランシーンの手をじっと見た。なにももっていなかった。両手ともおもちゃ箱の木のふたの上にのっている。フランシーンの爪は長くてピカピカだ。左手にはキラキラのゴールドの結婚指輪をふたつつけていた。右手の小指にもシルバーの指輪をつけている。フランシーンの指は、箱のなかになにかおもちゃ以上に大切なものがはいっているとでもいうように、ふたのジョーニーという文字をなぞっている。

「天気がよくなったら、ペンキを買ってきて、あなたの名前に書き直さなくちゃね」フランシーンはそういった。

ノヴァはおもちゃ箱をじっと見つめて、ジョーニーのかわりに「ノヴァ・ビー・ベツィーナ」と書かれたところを想像した。かんぺきな名前だ。ブリジットはそういっていた。ブリジットはけっして嘘をつかない。

「ノヴァ？」フランシーンは部屋に頭をつっこんでもう一度たずねた。ノヴァは思い出からひきもどされた。「服を買いにいかない？」

ノヴァは一、二、三、四回首を横にふった。いきたくなかった。服を着るのは大きらいだ。ズボンはおなかに食いこむし、靴下はくるぶしにふれる。シャツのタグはチクチクするし、ワンピースときたら！　それに、なによりもぞっとするのはきついタイツをはくことだ。タイツは腰から足の先までおおって、いつだって、そういつだって縫い目がつま先を横切るんだから。ノヴァはつま先を横切る線が大きらいだ。

フランシーンが部屋にはいってきた。ノヴァはナサベアをさらにぎゅっと抱いた。

「あなたが服のことをどう思っているのか、スティールさんからきいてるわ。だけどね、学校に通うには、せめて一週間分の服がいるでしょ？　ずっとパジャマっていうわけにはいかないのよ」

スティールさんというのは、ブリジットとノヴァを担当するソーシャルワーカーだ。スティールさんはいい人だ。知恵おくれということばをくり返すことはのぞいて。

読めず、話せず、重い知恵おくれ。

ブリジットはそのことばが大きらいだ。

「ノヴァ?」

とつぜん、ノヴァの口から「キーッ」という変な声がとびだした。ときどきおこることだ。変な声がでてしまうのを、ノヴァはどうしようもなかった。ぜったいにださないようにしようと思っても、でるときはでてしまう。

フランシーンはベッドのそばの床にあぐらをかいてすわり、ノヴァの顔をのぞきこんだ。

「わかるわ。すごくつらいでしょうね。でもね、わたしもビリーもあなたがきてくれて、ほんとうにうれしいの。ジョーニーもよ」

ビリーはフランシーンの夫で、ノヴァの新しい里親のお父さんだ。ジョーニーはふたりの娘で、冬休みで大学から家に帰ってきている。

「ムン」ノヴァはほんのかすかにうなずいた。ブリジットならなんというか想像した。「ぐずぐずいわないの、スーパー・ノヴァ。すっぽんぽんで学校にいくわけにはいかないでしょ」

すっぽんぽん。ノヴァのくちびるがめくれて笑顔になった。それから、高いキーッという声がでて、つづけてしゃっくりのような声がでた。体がぴくぴくひきつり、両手がぱたぱた動いた。ブリジットはすっぽんぽんということばが大好きだった。

「笑ってるのね？」フランシーンがたずねた。微笑みが大きな笑顔になった。「あなたの笑い声、はじめてきいたわ！　すっごくいいわね！」

ノヴァには理由がわからないけれど、フランシーンも声をあげて笑った。なので、ノヴァはそのまま体をぴくぴく、両手をぱたぱたしながら、ブリジットのすっぽんぽんを笑いつづけた。しまいには涙がでてきた。ノヴァはナサベアのふわふわの足で涙をぬぐった。すっぽんぽん！　ブリジットったら！

「さあ、いこう、ノヴァ。着心地のいい服をえらびましょ。Tシャツとオーバーオールしかほしくないのなら、それでもいいの。ワンピースじゃなくていい。約束するから」

フランシーンは立ちあがって手をさしだした。その手をにぎるのを一瞬まよったけれど、手をつないで部屋をでた。ナサベアは抱いたままだ。

フランシーンと服を買いにいくのは、もしかしたら、そんなにわるくないかもしれない。

ゆるゆるのルーズソックスだって買えるかもしれない。

カウントダウン⑩　一九八六年一月十八日

ブリジットへ

チャレンジャー打ちあげまであと十日。

きょうは土曜日。ここにきてから、どれぐらいたったのかわからないけど、クリスマスはおわっちゃったよ。クリスマスにブリジットがいなくてさびしかった。ブリジットのいないクリスマスなんて、クリスマスじゃない。

きょうまで手紙を書かなくてごめんね。手と腕と肩が痛くて、つかれてたから。それに、おこってたからだと思う。

ブリジットがいなくなったからおこってた。

ブリジットがいないクリスマスは、クリスマスじゃないからおこってた。

わたしの手紙を読めるのはブリジットだけだからおこってた。ほかのみんなは、ただの意味のない落書きだっていう。わたしの字をわかってくれるブリジットがいないと、手紙を書いても書いてないのとおんなじだからおこってた。

もう、帰ってきてもだいじょうぶだよ。

わたしには新しい里親家族ができたんだ。

お母さんはフランシーン・ウェスト。背が高くてやせてて、肌は白くて金髪。お父さんはビリー・ウェスト。背は低くてぽっちゃりしてて、肌は黒くて髪はない。ふたりにはジョーニー・ウェストっていう娘がいて、いまはいっしょに住んでる。大学があるときはいないけど。それに遠くに住んでるもうおとなの息子が三人いる。

わたしはこの家のはじめての里子だってフランシーンがいっていた。

きょう、わたしが笑うと、前のお母さんたちとはちがって「変な声をださないで！」なんてどならなかった。わたしが笑うとフランシーンも笑った。でも、ほかの子たちが笑ったときみたいにいやな感じじゃなかった。

ブリジットがいないのに、わたしが笑ったらおこる？

フランシーンといっしょに笑ったらおこる？

ブリジットがいいたいことはわかる。「里親はいつまでもつづくほんものの家族じゃない」

でしょ？　それに「里親にはなつかない」だよね。だけど、ブリジットもフランシーンが好きになると思う。フランシーンは、わたしにもほかの人がブリジットに話すときのように話す。大声じゃなく、ゆっくりすぎでもない、ほかの人がブリジットに話すときとおなじ感じ。

　わたしを一人前あつかいしてくれる。

　ここはすてきな家だよ、ブリジット。大きな寝室が四つある。ひとつはビリーとフランシーンの部屋。ひとつはジョーニーの部屋。ひとつはわたしので、一階のはお客さんの部屋だっていってる。わたしの部屋のクローゼットのうしろにはドアがついていて、屋根裏部屋につながってる。ほこりっぽくてくしゃみがでちゃうけど、屋根裏部屋は気にいっている。天井はななめになっていて、つきあたりに丸い窓がある。宇宙にいるつもりになるにはかんぺきなところだ。

　二階のリビングルームにはケーブルがついてる。ケーブルって知ってる？　ケーブルにはテレビのチャンネルがたくさんついていて、子どもむけのニコロデオンっていうチャンネルもある。ニコロデオンには『星の王子さま』の番組もあるんだよ。わたしのあの本の！　ジョーニーは毎日欠かさずにその番組を見せてくれる。あんまりうれしくて、ソファの上でとびはねたり、手をぱたぱたふりまわしても、ジョーニーはおこったりしない。「すわって静かに見ようよ」っていうだけ。だから、わたしもすわって静かに見ようとがんばる。

あと十日で打ちあげだよ、ブリジット。きょうの朝刊に書いてあった。ビリーが声にだして読んでくれた。「チャレンジャー打ちあげまであと十日！」

十日でうれしかった。十までは数えられるし、十からならカウントダウンもできるから。十はわたしのいちばん好きな数字！　カウントダウンはいつも十からはじまるから。

約束どおりいっしょにテレビを見るために、ブリジットがわたしを見つけるまで十日あるっていうこと。

もし、また里子になってもいいって思うなら、フランシーンとビリーは、お客さん用の部屋をブリジットにくれると思う。

あの部屋は屋根裏部屋にも地下室にもつながってないけど、カーペットはしいてあるよ。

もどってきて、お願い。

あいたいよ。

スーパー・ノヴァより愛をこめて

2

ジェファーソン・ミドルスクールの階段をのぼるとき、フランシーンはノヴァと手をつないだ。校舎は二階建てで長方形のレンガ造り。中央の両開きの扉の両脇には、床から天井まである窓がついていた。ノヴァはあいている方の手でナサベアをぎゅっと抱いていた。ビリーが先に立って、歩きながらずっとしゃべっている。

「きっと気にいるよ、ノヴァ。うちの子たちもみんな五年生から八年生まで、このジェファーソン・ミドルスクールに通ったんだ。五年生を小学校の校舎に移す前のことだけどね。五年生を移して、そこに特別支援学級をふやしたんだ。特別支援学級はわかるかな？」

ノヴァは「ムン」と答えた。ウェスト家ではそれが「イエス」だと受けとめている。ノヴァがこれまで通ってきた学校では、普通学級の教師ではない教師が教えるクラスを、特別支援学級と呼ぶことがあった。ほかにも特殊学級とか、養護学級とか、なかよし学級と呼ぶ学校もあった。

「ほかのクラスとおなじで、音楽も美術も体育もあるし、それ以外にも女の子には家庭科、男の子には技術の授業もあるんだ。それに週に一回は『Xブロック』もある」

ノヴァは首をかしげた。

「きみがなんて思ったか、わかってるよ」ビリーがいった。「『Xブロックって、いったいぜんたいなんなの？』だろ？」

ノヴァはにっこり笑った。思ったとおりだったからだ。ただし「いったいぜんたい」はぬきで。

「Xブロックは特別のなかでも特別なのさ。自分の好きなクラスをえらべるんだ。学期ごとに変えてもいい。うちのジョンが六年生のときにはじまったんだけどね。ジョンが提案したんだよ。ジョンは正式な申請書を書いて、職員会議で先生たちに説明したんだ。あのときは、ぼくたちも誇らしかったなあ」

ビリーの声が感激でか、ふるえた。かわりにフランシーンがつづけた。

「ジョンが自分から率先してやったんだよ。あの子ははずかしがり屋のやさしい子でね。いつだって新しいことを学びたがってたけど、友だちを作るのは苦手だったの。あの提案は、おなじ興味をもつ子と知り合うのにすごく役に立った」

「それがいまやレクリエーション施設長だ」ビリーがいった。「問題をかかえた子たちのために、いろいろな活動を計画してるんだ！」ビリーはノヴァの肩をぎゅっと抱いた。ノヴァは思わず身をひいた。

フランシーンが説明をつづける。

「Xブロックではね、子どもたちはなんだってできるの。バンドを組んでもいいし、合唱やサッカー、ソフトボールでもアーチェリーでもいい。読書クラブでもいいし、ダンスだっていいのよ。あなたを担当してくださるピアース先生と話したんだけど、先生はあなたのような子は、Xブロックのときも、特別支援学級にいた方がいいっておっしゃるのよね……。でも、わたしたちは……なんていうか……」

「わたしたちはね、もっとおもしろいことをした方がいいって思ってるんだ！」ビリーがしめくくった。「この学校にはプラネタリウムがあって、今学期は天文学のクラスもあるんだ。天文学はわかるかな？　プラネタリウムにいったことある？」

ノヴァは右手の中指と人差し指であごを小きざみにたたいた。プラネタリウムにいったことはないけれど、天文学のことなら、もちろんなんだって知っている。恒星や惑星、衛星や彗星、銀河なんかの学問だ。ブリジットは天文学のことをたくさん教えてくれた。

「ムン」ノヴァは最後にそう答えた。厳密にいえば答えの半分はイエスで、半分はノーだけれど。

フランシーンとビリーは微笑んだ。三人は校舎中央の両開きの扉の前に立った。ビリーは扉の窓ガラスをノックした。ブレザーにジーンズ姿のがっしりした体格の男の人が近づいてくるのが見えた。その人が扉をあけた。

「ようこそ、ウェストさん!」その人はビリーと握手して、フランシーンの頬にキスをした。ノヴァもビリーとおなじように握手しようと手をさしだした。その人のもじゃもじゃのひげや唇が顔に近づくのはいやだったからだ。

「なんてお行儀がいいんだ!」その人は感激したようにいって、ノヴァの手をにぎった。「きみがノヴァだね!」

「ムン」ノヴァはいった。きょうはもう何回もいった気がする。

「わたしは、校長の、ダウリングだよ!」これまでであった先生たちや里親たちとおなじように、ダウリング校長は、まるで耳がよくきこえない人にいうように、ひとことひとことをはっきりいった。

「はじめまして！　よくきたね！　学校探検の、準備は、いいかな？」

顔をグイッと近づけたので、ノヴァはいやでも顔を見なくちゃいけない。ノヴァは「ムン」ともいえず、目を見ることもできなかったけれど、校長の前歯が、自分のとおなじくらいわるい歯ならびなのに気づいた。それから、すぐに床に目をおとし、黄色と青のタイルを見つめた。

「準備はできてます」フランシーンがいった。「案内をお願いします！」

校舎のなかは外から見たのとおなじようにひらべったくて長方形だった。中央玄関から左右に廊下がのびていて、正面には幅のひろい階段があった。

「ぼくたちは学校当局とも十分話し合って、きみは六年生からやり直すのがいちばんいいってことになったんだ」ビリーが説明した。ノヴァは顔をしかめた。七年生のとちゅうまできているのに、どうしてあともどりしなくちゃいけないんだろう？　あともどりは、打ちあげまでのカウントダウンだけでいい。もしかしたら、そのあとは五年生に、さらには四年生にあともどりするってことだろうか？　ブリジットみたいに十七歳になった自分が、幼稚園の小さな机にすわっているところを思いうかべて、さらに顔をしかめた。

「きっと、六年生の、クラスが、気にいるよ！」ダウリング校長は、歯ならびのわるい、多すぎる歯を見せて笑った。ノヴァは両手で耳をふさいで、ハミングをしたけれど、校長がフランシーンとビリーに話す声はきこえた。

「ご存知のとおり、二階には七年生と八年生のクラス、それにプラネタリウムがあります。ただ、残念ながらミンディ先生が不在のときにはカギがかかっていて、きょうはお見せできません。ノヴァには水曜までまってもらいましょう。六年生のXブロックは水曜なので」それからビリーにむかっていった。「Xブロックのことはもう？」

「ええ、つたえました！」ビリーは微笑みながら、冗談っぽくノヴァをこづいていった。「だよね、ノヴァ？」

「ムン」ノヴァは答えた。

この学校はよさそうだ。壁際には、最近ペンキをぬり直したばかりのロッカーがならんでいた。なぜ、最近ぬり直したばかりだとわかったかというと、ロッカーをさわったノヴァの手にペンキがついたからで、なめてみるとオレンジ色なのにオレンジの味はしなかった。

ロッカーの上と職員室のドアの上には、生徒がデザインした本のポスターが貼ってあった。そのうちのひとつのタイトルはノヴァの知っているものだった。『テラビシアにかける橋』だ。ブリジットは最初の二章を読んでくれたけれど、ノヴァが寝たあと、その晩のうちにひとりで読みおえてしまった。朝になるとブリジットはあやまってくれたけれど、「どうしても先が気になってやめられなかったんだ」といいわけをした。ノヴァは気にしなかった。ブリジットはつぎに『五次元世界のぼうけん』を読んでくれると約束してくれていたからだ。ノヴァは表紙をひと目見ただけで、もうその本が好きになっていた。深い青に緑と黒の円が描かれた表紙だ。

「かなしい本なの」フランシーンが『テラビシアにかける橋』のポスターを指で軽くたたきながらいった。「子どもが死んでしまう物語なんか、子どもに読ませるべきじゃないと思うな」

子どもが死んでしまう。

ノヴァは身ぶるいした。子どもは死んじゃだめだ。そう教えてくれたのはブリジットだった。去年の春、エチオピアの飢餓についてのプロジェクトをおえたあと教えてくれた。

「こんなこと、おこしちゃだめだよ」ブリジットは参考にしていた本をぴしゃりととじていった。「なんで子どもが死ななくちゃいけないの？　死ぬのはこんな飢饉をひきおこした戦争をはじめた連中だけで十分。なんの罪もない子どもが死ぬなんて、ぜったいだめだよ！」

ノヴァはエチオピアがどこにあるのかも知らなかった。たぶん住んでいるニューハンプシャーからはずっと遠いところだろう。それに、飢餓や飢饉ということばもわからない。けれど、ブリジットがあんなにおこるんだからひどいことなんだということはわかった。ブリジットはめったなことではおこったりしなかった。すくなくともノヴァの前では。

「ほら、あれを見てごらん」ビリーにいわれて、ノヴァはわれに返った。ビリーはべつのポスターを指さしていた。女の子が小川をとびこえているポスターだった。「きみのクラスメートが勉強している本だよ」

ポスターに書かれた文字の全部がわかるわけではないけれど、どれも絵本じゃないのはわかった。これまで、ノヴァは先生から絵本しかもらったことがなかった。それにだいたいの絵本はおもしろくなかった。どの絵本もたいくつで、たいくつな絵の下にたいくつなことばがほんのひとつかふたつ書かれていた。「ネコだよ。ネコがはしる。はしれネコ、はしれ！」

ノヴァはそんな本は大きらいだ。

ノヴァにちゃんとした本を読んでくれるのはブリジットだけだった。『テラビシアにかける橋』みたいな本だ。『星の王子さま』は、いつだってふたりのいちばんのお気にいりだったし、『ピーター・パン』や『ふしぎの国のアリス』、『スパイになりたいハリエットのいじめ解決法』、元気いっぱいのラモーナ・クインビーとそのお姉さんのビーザスがでてくる七冊のシリーズもいっしょに楽しんだ。

『テラビシアにかける橋』のポスターをまだ見つめていたノヴァは、とつぜんもじもじしはじめた。もじもじはダンスになった。ノヴァは両足をぎゅっととじたまま、かかとをあげたりさげたりした。

「トイレにつれていきますね!」フランシーンはノヴァをつれて廊下をいそいだ。ノヴァはほっとした。手おくれになるまで自分でも気づかないことがよくあった。気づいたとしても、ほかの人にどうつたえたらいいのかわからなかった。家にいるときなら、トイレにかけこんで、もしまにあわないようならさけび声をあげて、フランシーンやジョーニーにオーバーオールをぬぐのをたすけてもらえる。

ひとりで個室にはいると、まわりを見まわす余裕ができた。トイレは壁も天井も白いけれど、個室のドアはロッカーとおなじオレンジ色だった。ドアには油性ペンで書かれた名前の落書きがあって、ぬり直したペンキの下にすけて見えた。ノヴァは太い文字のBを指でなぞった。ブリジットのBだ。

水を流すと、オーバーオールをひっぱりあげて個室からでた。フランシーンはオーバーオールのファスナーをしめてから、ノヴァに石鹸で手を洗うようにいった。ノヴァはバカなことをいうなと思った。いわれなくても、かならず石鹸で手を洗うんだから。それから、ふたりで廊下にもどった。

「これから、特別支援学級を見にいこうね。ピアース先生はノヴァにあうのを楽しみにしてるよ」ダウリング校長は、そういいながらちらっとビリーを見た。校長はさっきまでのように、ひとことひとこと強調するような不自然なしゃべり方をしなくなったので、ノヴァはうれしかった。

「こちらでございます、お嬢さま」ビリーがおどけてそういいながら、ノヴァの手をとり、くるっと一回転させた。ノヴァはキャッキャッと笑い声をあげた。

ダウリング校長は、廊下のつきあたりにある部屋のドアのカギをあけた。大きな部屋で、明るく飾りつけされていた。

「ピアース先生は九月にもどってきたばかりでしてね。先週のミーティングできいたかもしれませんが、カルフォルニアで二年間の研究休暇をおえたところです。最先端の自閉症児教育を学んできたんですよ」

ノヴァは教室を見まわした。おくの壁に太陽系の大きなポスターが貼ってあるのを見つけて、ノヴァは息をのんだ。光沢のある色あざやかなポスターで、太陽系の九つの惑星全部と地球の月も描かれていた。とてもきれいだ。きれいすぎる。体がむずむずしてきた。ナサベアまで興奮している。

ビリーとフランシーンには、教室にあるものをいろいろ見てみるようにいわれたけれど、その太陽系のポスターから目をはなすのはかんたんではなかった。

ひとつの壁には本棚がならんでいる。ほかの壁にはラミネート加工されたいろいろな形や色のカードがところせましと貼ってあった。ものすごい数のカードだ。本棚の上にはマザーグースのポスターが貼ってある。

明るいブルーのカーペットの上には、そんなにひろくはないけれどビーズクッションがならんだプレイエリアもあるし、ふつうの椅子も半円を描くようにならんでいる。形や色のカードが貼ってある壁のそばには机やテーブルがあって、それぞれにつかっている生徒の名前のシールが貼ってある。校長にうながされたビリーとフランシーンがノヴァをつれまわすあいだ、ノヴァは目をとじ、耳を手でおおった。

この新しい教室を見て歩いていると、いちばん最初の幼稚園の、いちばん最初の日のことを思い出した。そのときノヴァは五歳で、体も小さく、びくびくしていた。ノヴァとブリジットは、いちばん最初の里親家族のところにやってきたばかりで、その里親がノヴァも幼稚園にいく「ころあい」だと考えた。ノヴァはころあいなんてほしくなかった。ノヴァはなにがおこるかわからないことは大きらいだ。新しい場所、なじみのない場所も大きらい。ママとひきはなされたのも大きらいだった。でも、ブリジットがいた。ブリジットはいっしょにバスに乗った。ブリジットはノヴァを教室までつれていってくれた。そのあいだずっと、ブリジットはノヴァと手をつないでいてくれた。

「なにかあっても、すぐ近くにいるから」ブリジットはそういった。「わたしはすぐとなりの二一二番教室にいる。おぼえた？　二一二だよ」

「ムン」ノヴァは答えた。

「『ムン』じゃなくて、イエスっていうんだよ。ほら、いってみて。イエス」

「イエ」

ブリジットはにっこり笑ってノヴァのおでこにキスした。

「じょうずだよ！　ノヴァはほんとうにかしこいね。ノヴァはかしこくないなんてだれにもいわせちゃだめ。わたしはノヴァがかしこいってわかってるし、ノヴァだってわかってる。だけどね、『ムン』しかいわなかったら、かしこいって思われないんだよ。だからね『イエス』か『ノー』っていうの。『ノー』だっていえるよね？」

「イエ」

「じゃあ、いってみて。『ノー』って」

「ノー」

「すごいよ！」ブリジットはまたノヴァをハグした。「幼稚園は楽しいよ。お絵描きしたり歌をうたったり、昼寝の時間もあるし、お話も読んでもらえる。それにブロックで遊べるよ。ノヴァはどれも得意でしょ？」

「ムン」

「『ムン』はだめ！　イエスだよ。わたしはすぐとなりの二一二番教室にいるからね。だれかにいじわるされたら、わたしのところにくるんだよ。ふたりでにげよう。いいね？　ここをとびだして、そのまま二度ともどらないいんだから。いいね？」

「ケイ」

「オーケイ？」

「ケイケイ」

「オー、ケイ」

「オー、ケイ」

「そう。いい子だね。楽しんできてね、スーパー・ノヴァ」

でも、ノヴァは楽しめなかった。先生は質問からはじめた。

「お名前は？」

ノヴァは答えなかった。

「名前がわからないの？」

ノヴァは答えなかった。

「はずかしいの？」

ノヴァは答えなかった。

「きこえてますか？」先生はノヴァの顔の前で手をふりながら、うたうようにいった。ノヴァはあとずさりした。先生は近づきすぎだ。だれかが近づきすぎるのは好きじゃない。ブリジット以外のだれかが。それかママ以外のだれかが。ノヴァは悲鳴をあげて先生をたたいた。

「なにをするんですか！」先生の声はがまんできないくらい大きくなった。「質問に答えなさい」

ノヴァはあとずさりして、両手をぱたぱた動かしながら、甲高いさけび声をあげつづけた。

先生が近づいてくると、ノヴァは、目をとじ、両手で耳をおおい、自分の世界にとじこもろうとした。

幼稚園の教室はものすごくうるさい。

電動の鉛筆けずりが鉛筆をけずる音がする。

ブリキの缶からビー玉が床にこぼれおちる音がする。

クレヨンがテーブルをころがる音がする。

窓の外からは鳥のさえずり声。

部屋のなかでは子どもたちのさえずり声。

うるさすぎる。

ノヴァはがくんとひざをついて、目をとじたままさけび声をあげ、体を前後にゆらした。

「立ちなさい」先生がそういいながら、ノヴァの腕をつかんでひっぱる。

「ビジェ！」ノヴァは救いを求めてお姉さんの名をさけんだ。「ビジェ、ビジェ、ビジェ！」

「なにをいってるの？」先生は無理矢理ノヴァを立たせた。「この教室では、きたないことばはつかっちゃいけないんです。もう一度だけききます。あなたの名前をいいなさい。それがいやなら、園長室につれていきますからね！」

ノヴァの腕をつかむ手の力が強すぎる。ノヴァは自分の肌にほかの人の肌がくっつくのを感じた。ノヴァは肌と肌がふれあうのが大きらいだ。どこにつれていかれるんだろう？　肌と肌がふれあうこと以上にきらいなのが、なにがおこるのかわからないことだ。おびえきったノヴァは、つかまれた手をふりほどこうと、何度も何度も先生をたたいた。それでも、先生ははなしてくれない。

「みなさん、床にすわっていて。すぐもどるから」先生はいった。

先生は、さけびながらたたきつづけるノヴァをひきずって廊下を進んだ。

「ビジェ！　ビジェ！」ブリジットがいる教室の番号はわすれてしまった。ノヴァは泣きだした。足が動かない。歩き方をわすれてしまったみたいだ。ノヴァのキャンバス地のスニーカーがじゅうたんの上をひきずられる。どこにつれていかれるのかわからない。どうして、先生がおこっているのかもわからない。ブリジットにたすけにきてほしかった。家につれかえってほしい。里親の家じゃなく、ママの家に。ほんとうの家に。ふたりのロケットがある家だ。

「歩きなさい！」先生がどなる。

「たすけて！」ノヴァはそういいたかった。でも、変な音しかでなかった。ノヴァの口からでた音はぜんぜん「たすけて！」にはきこえない。ノヴァはさらにはげしく泣いた。泣きすぎてせきこんだ。涙で前が見えない。

とつぜん、べつの教室からブリジットがとびだした。ブリジットは乱暴に先生の手をひきはがし、ノヴァをしっかり抱きしめた。

「なにやってんの！」ブリジットがさけんだ。「この子にさわるな！」

「ビジェ！」ノヴァはそうさけんだけれど、それ以上はなにもいえなかった。せきこみながらしゃくりあげるのがせいいっぱいだ。

ノヴァはブリジットの口から先生にいいたかったことをつたえてほしかった。

「園長室につれていくところです！」先生はいった。丸い顔が真っ赤になっている。「この子はきたないことばをつかって、わたしをたたいたんですよ。自分の名前もいおうとしないで」

「妹はきたないことばなんて知りません」ブリジットは自分の服の袖でノヴァの鼻水をぬぐいながらいった。「それに、たたいたのはあなたがこの子をこわがらせたからです！」そのあと、ブリジットは悪態をついた。

「ふたりとも園長室へ！」先生は右手でノヴァを、左手でブリジットをつかんでひきたてた。

ノヴァはずっとずるずるひきずられていった。ブリジットはあらゆるののしりことばを大声でどなりつづけた。それをきいて、ノヴァはブリジットがどれほどおこっているか、よくわかった。

「あとはおまかせします」園長室につくと先生はいった。

園長はふゆかいそうだった。園長は里親を呼びだした。里親もふゆかいそうだった。

その里親のところには、長くはいなかった。

「ノヴァ、だいじょうぶ？」フランシーンがノヴァの肩を軽くたたきながらいった。ノヴァはびくっととびあがった。自分がジェファーソン・ミドルスクールの特別支援教室にいるのをわすれていた。ノヴァはフランシーンを見てから、自分の席のそばの窓を見た。

フランシーンはノヴァをハグしようとしたが、ノヴァは体をひいた。ハグは好きじゃない。フランシーンはため息のようなかなしそうな声をあげた。なぜだかはわからなかったけれど、かなしい気分にさせてしまったようだったので、ノヴァはフランシーンにナサベアを手わたした。

「ナーベア、いい」ノヴァはそういった。「ナサベアはいい気分にしてくれる」といったつもりだ。

「ごめんね、わからないわ」フランシーンは傷ついているようだ。「でもね、話してくれてすごくうれしい！　もう一回話してみて？」

「ムン」ノヴァはいった。ノーのつもりだ。

窓の外ではまるまる太ったリスが、葉がおちたはだかの木をかけのぼっていた。ノヴァははっと息をのんだ。こんな寒いときに、あのリスはなにをしてるんだろう？　ノヴァはもっとよく見ようと、机によじのぼった。リスはノヴァに気づいたようだ。低いところにある木の枝で動きをとめ、ノヴァを見つめ返した。しっぽがぴくぴく動いている。

「グーアー」ノヴァはそういいながら、手のひらで窓ガラスをたたいた。リスに、こんな寒いなか、なにをしているのかたずねたかった。でも、ことばはでてこない。「グーアー、グーアー！」

「さあ、ノヴァ、おりようよ」ビリーがこまったようにいった。反応がなかったので、ノヴァの腰をつかんで机からおろそうとした。ノヴァはいやがって手をふりほどいた。

「机の上にはのらないのよ」フランシーンがたしなめるようにいった。きついいい方ではないが、真剣な調子だ。「あなたもわかってるでしょ？」

ノヴァは窓の外に目をもどした。リスはいなくなっていた。

なんだかさびしかった。こんなときはナサベアが必要だ。自分の手を見て、机の上も見た。どこ？　ノヴァはフランシーンとビリーを見た。よかった！　ちゃんといた！　フランシーンが抱いていた。金切り声をあげながらナサベアの片足をつかみ、ぐいとひきよせて胸に抱いた。

「だいじょうぶ？」フランシーンがたずねる。

「ムン」それはイエスでもノーでもなく、「わたしの」という意味だった。

「ノヴァ？」ビリーが手をさしだした。ノヴァはあとずさりした。金切り声をあげたからたたかれると思った。でも、そうされる前に、ノヴァは自分で自分をたたいた。あいている方の手のひらで、一、二、三、四回、頭の横をたたいた。

フランシーンがやさしくその手をつかんで、そっとさげさせた。フランシーンは親指をノヴァのあごにあてて、ノヴァの顔をあげさせた。ほんの一瞬、ノヴァの目とフランシーンの目があった。フランシーンの目のなかに怒りはなかった。それでも、フランシーンとしっかり目を合わせるのはつらい。ノヴァはごめんなさいといいたかった。どうして、そうするべきなのかはよくわからなかったけれど。おとなが子どもをしっかり見つめるときは、そうするものだという気がしていた。

「だいじょうぶよ、ノヴァ」フランシーンがそっといった。「なんにも心配しなくていいから」

ノヴァは気持ちがおちついて、教室をぐるっと見まわした。ノヴァの目は、先生の机の横に貼ってあるルールが書かれた紙にとまった。

しずかなこえ
おちついたたいど

やさしいことば
ハッピー・ハンド
よくきくみみ
ものをたいせつに
ひとをたすける
ひとにやさしく

「あのルールを読んでるのかな?」ダウリング校長が、おどろいたようにたずねた。

「見ているだけですよ」フランシーンが楽しげに答えた。

でも、フランシーンはまちがっている。

ノヴァは書かれているルールを読んでいた。

ノヴァには全部読めた。すべてのルールが。

ノヴァはうれしくて、両手をぱたぱたさせながらキーッと声をあげた。ひとりで全部読めた。

一語ももらさずに!「たいど」っていうことばの意味はわからないけれど。

「ノヴァはまだ、なにも読めないときかされています」フランシーンがつづけた。「アルファベットもわかりません。でも、これからきっと！」

アルファベットもわからない？

ノヴァの幸せのぱたぱたがとまった。

アルファベットはＡＢＣのことだ。それなら知っている。六歳のときにブリジットが教えてくれた。

顔が赤くほてるのがわかった。

読めず、話せず、重い知恵おくれ。

目に涙があふれてきた。ブリジットがいてくれれば。ブリジットならいってくれる。「妹は知恵おくれなんかじゃありません。おしゃべりじゃなくて、考える人なんです」

こぼれおちる涙は熱かった。これでもうおわりだ。はげしく泣きすぎないようにと、ノヴァは親指と人差し指のあいだをかんだ。でも、ビリーがノヴァの口から手をひきはがして、しっかりつつみこむようににぎった。

「だいじょうぶ……なのかな？」ダウリング校長がたずねた。

「きっと、すこしばかり圧倒されてるんだと思います」フランシーンがハンドバッグからティッシュをだしながらいった。「ソーシャルワーカーからも、ときどきこうなるときいています。特に新しい場所やなれない状況には、強い不安を感じるようです。うちにきてからは、まずは、なれてもらおうと、なるべく家からでないようにしてきたんです」

「だからこそ、きょうはお招きいただいて、ほんとうに感謝しているんです！」ビリーがそういって、またもや校長と握手した。「登校初日は、なるべく問題なくむかえてほしいですから」

「もちろん、わかってます！」ダウリング校長はにっこり微笑んだが、それと同時に、それまでは見せなかった心配そうな視線をノヴァに投げかけた。フランシーンはティッシュをノヴァの鼻にあてて、鼻をかむようにいった。

「ノヴァの送り迎えは、毎日フランシーンがやります」ビリーは正面玄関へと歩きはじめたダウリング校長にいった。

「ノヴァを送ってからでも、わたしのクラスの始業には十分まにあいますから」フランシーンはノヴァのおくれ毛を耳のうしろになでつけながらいった。「幼稚園はすぐそこですもんね」

「ええ、そうですね。ところで、今年の新入園生はいかがですか？」ダウリング校長がいった。

フランシーンはうなずきながら答えた。「ええ、みんないい子ですよ。いつの年も、最初はみんななんにもできないんですけどね。赤ちゃんといってもいいぐらい。読み書きはできないし、靴ひもも結べない。ぬり絵をしても、線からはみだしちゃう。それなのに、つぎの夏休みになるころには……」

ノヴァはもうきいていなかった。もう泣いてもいない。静かにハミングしながら片手でナサベアを抱き、もう片方の手であごを軽くたたきながら、自分が幼稚園の赤ちゃんだったころ、はじめて廊下を歩いたときのことを思い出していた。

明日、新学期がはじまる。

ノヴァはまだ、心の準備ができていなかった。

カウントダウン❾ 一九八六年一月十九日

ブリジットへ

チャレンジャー打ち上げまであと九日。

明日、学校がはじまる。

きょうはだれもいない学校にいってきた。

いやな感じじゃなかった。

特別支援教室は気にいった。

教室にはいって、最初に見たのは太陽系のポスターだった。

すごくきれいなポスターだったから、ぴょんぴょんとびはねながらハミングした。とても大きくてりっぱで、ぴかぴかしていて、水星から冥王星までの惑星が全部あった。まわりはたくさんの星に囲まれている。土星の輪も、木星の赤いまだら模様も、雲がうかんだ地球も、真っ赤な火星も、もやもやした茶色のガスがかかった金星も、氷の巨人天王星も、青い海王星もはっきり見えた。海王星はブリジットがくれた指輪の石みたいだった。わたしは海王星が大好き。どうしてかというと——

青いから。わたしは青が好き。

寒いから。わたしは寒いのが好き。

たぶん輪があるから。わたしは輪が好き。

月がふたつあるから。わたしは月が好き。

それから、はげしい嵐が吹きあれるから。わたしははげしい嵐が好き。

去年の九月、ハリケーンのグロリアがニューイングランドをおそったとき、停電になるまでふたりで、ずっとテレビのニュースを見てたよね。停電がおわるまで、二日も暗いところにいたとき、ブリジットは「海王星にいるつもりになって」っていった。「海王星では秒速四百五十メートルをこえる風が吹きあれてるんだよ！」

もし、人が海王星に住んでいるとしたら、停電はどれくらい長くつづくんだろうと思った。

ねえ、ブリジット、スペースシャトル・チャレンジャーが成層圏を突きぬけて宇宙空間に打ちあげられるまで、あと九日しかないよ。世界ではじめて学校の先生がほんものの宇宙をその目で見るまで、あと九日なんだよ。ほんものの星、ほんものの惑星。あの先生が地球を宇宙から見るまであと九日。それがどういうことかわかってる？

わたしがブリジットにあうまで九日ってこと！

「しばらくは、はなれてなくちゃだめだけど」ブリジットはそういったよね。「でも、チャレンジャーの打ちあげまでにはもどってくるから。なにがあってももどってくる。約束する」

ブリジットはそういったんだからね。

約束したんだよ。

わたしがかんぺきな九つの惑星を見つめているとき、ビリーはわたしの腕をつついてささやいた。「息をするのをわすれてるよ！」

いってもらってよかった。ほんとうに息をするのをわすれてたから！　息をするために目をとじて耳をふさいで、あのポスターを見ないようにしなくちゃいけなかった。でも、見えなくなっても、頭のなかには、まんまるで明るくてピカピカでかんぺきな青い海王星が見えていた。

あの教室の壁もかんぺきだった。形や色のカードがいっぱい貼ってあった。わたしのクレヨンの箱にある色はだいたいわかったけど、見たことのない色もあった。三角や三日月、丸や四角もあったし、一時停止の標識みたいな形もあった。

色や形をわたしに教えてくれたときのこと、おぼえてる？　里親のところや、学校にいく前のことだよ。クレヨンを一本一本手にもって「赤レンガ色。建物を描くときつかう」とか「青灰色。青より灰色に近い色」とかいった。わたしはレモンイエローがいちばん好きだった。

それから、サンドイッチをいろいろな形に切って、それを見せながらいった。「三角のツナサンドには辺が三つ」とか「丸いハム・アンド・チーズ・サンドはボールみたいに丸い」わたしがいちばん好きだったのは、三日月型のピーナツバターとジャムのサンドイッチだった。

わたしの机は、ほんものの机なんだよ、ブリジット。銀色みたいな色で、わたしの名前が書かれた名札が貼ってあった。ノヴァ・ビー・ベツィーナって。地の色は黄色で、名前は黒で、すみには赤いリンゴの絵が描いてあった。その名札は気にいった。机も。それに、わたしの机は窓のすぐそばなんだ。わたしがどれぐらい窓の外を見るのが好きかは知ってるでしょ。

本棚もたくさんあった。どんな本があるのかは見なかったから、『ビーザスといたずらラモーナ』のシリーズがあったかどうかはわからない。本棚の上には、前にいた学校みたいにマザーグースのポスターが貼ってあったけど、どのポスターにもヒツジが描いてあった。一枚のこらず。「メエメエ黒ヒツジさん」も「ボーピープ」のヒツジも、「メリーさんのヒツジ」も全部。わたしがヒツジを大きらいなのは知ってるよね。

車でビリーとフランシーンの家に帰るとき、ブリジットが学校にいっていて、わたしとママだけで、家で楽しくすごしたことを思い出してた。あんまりたくさんはおぼえていないけど、ママは、わたしの髪を三つ編みにするのがすごく好きだったこととか、おでこにキスして、わたしのことをスーパー・ノヴァって呼んでくれたこととか。

落ち葉を集めて山にして、そこにとびこんだりもした。ときどきは、水切りをしに、川まで散歩することもあった。わたしがつかれると、ママはだっこしてくれた。テレビを見ながらソファでランチを食べた。わたしは赤むらさき色のソーダ、ママは赤むらさき色のワインを飲んだ。

ランチがおわると、ママはラジオをつけた。

わたしはこわがらないようにがまんした。

わたしは自分にいいきかせた。「もうすぐブリジットが帰ってくる」って。

ブリジットが帰ってきたら、なにもかもが安心だってわかってた。

ときどきは、ラジオからいいニュースが流れることがあった。

「金の値段が新記録なんだって！　一オンス二百二十ドルだよ！　金を埋めておいてよかったでしょ、スーパー・ノヴァ！　ドルの価値がおちつづけたって、へっちゃらよ。金があるんだから！」

ラジオからわるいニュースが流れることもあった。

「ソ連が核兵器の実験ですって！　きっと中性子爆弾よ！　世界のおわりがはじまったのよ！

カーター大統領はどこでなにやってるのよ?」

　ママはときどき、ニュースではなく、ただザーザーという雑音をきいていることもあった。あれはヒツジの日々だ。ブリジットにいてほしかった。ブリジットがいてくれれば、あんなにこわくはなかったんだと思う。

「サイゴンが陥落したら、共産主義の天下になってしまう！　すぐにここまでやってくるわ！あなたのパパは真実を知ってしまったのよ。ベトナムから帰ってこなかったのはそのせい。軍は『戦闘中に行方不明』っていってるけどね。パパは帰りたくても帰ってこられないの。安全な場所なんてどこにもない。シェルターが必要なの！　かくれなくちゃいけない！」

　そんなとき、ママはわたしをキッチンにつれていった。ママはわたしをテーブルの下にもぐりこませて、上から白いふわふわの毛布をかけ、床まですっぽりおおった。そのシェルターができあがると、ママももぐりこんできた。わたしたちは、ずっとまちつづけた。でも、なにもおこらない。わたしたちは、いつまでも白いふわふわの毛布のなかにとじこめられていた。

「ここなら安全よ」ママがささやく。「ここなら安全だからね、ノヴァ・ビー」

　ヒツジのおなかのなかの安全。

それから、長い時間がたった。もしかしたら、ほんのみじかいあいだだったのかもしれないけど、ブリジットが帰ってきて、わたしの手をつかんでいった。「さあ、もうでてきていいよ」ママもいっしょにでる。寝てしまっていなければだけれど。寝てしまっているとき、ブリジットはママの頭の下に枕をあてがって、白いふわふわの毛布を体にかけた。それから、おやつを用意してくれた。

ヒツジのおなかのなかにいるあいだじゅう、ママはただただ不安で、わたしを抱きしめていた。わたしは手をもぞもぞさせながら、ただまつことしかできなかった。

ブリジットをまつのは最悪だった。

それはいまも変わらない。

わたしはね、ここでせいいっぱいお行儀よくしてるんだよ、ブリジット。さけばないようにしてるし、ものも投げないようにしてる。新しい学校でも、せいいっぱいがんばる。せいいっぱいお行儀よくしていれば、ここに長くいられるし、そうすれば、わたしをさがすのも楽でしょ？　それに、もどってきたときブリジットに「えらかったね、誇らしいよ」っていってもらえる。ブリジットを誇らしい気持ちにするために、せいいっぱいがんばってる。

ママといっしょにくらしているとき、いちばんうれしかったのは、ブリジットからヒツジのおなかのなかでもっていられるようにって、スケッチブックとクレヨンをもらったとき。毎日、手紙を書くようにっていったことおぼえてる？　ほらね、わたしはいまも毎日書いてるよ。ヒツジのおなかにとじこめられているときにブリジットあての手紙を書いていると、気持ちがおちついた。ブリジットに手紙を書くと、いまでも気持ちがおちつく。ブリジットに手紙を書いていると、星がきらめく宇宙で、ひとりぼっちで迷子になっているような気持ちにはならない。

ブリジットもわたしに手紙を書いてる？

ねえ、ブリジット、いまならブリジットからの手紙を読めるかもしれない。前は読んでるふりをしてただけ。ジェファーソン・ミドルスクールには、ルールを書いた大きくて長いリストがあるんだ。そのうちのひとつは「ハッピー・ハンド」だった。ハッピー・ハンドってどういう意味？　ハッピーはにこにこ笑うことだって知ってるけど、手は笑わない。手はピーター・パンがいうハッピーな考えじゃない。わたしはフランシーンにきいてみたかったけど、できなかった。

そのときはかなしかった。どうしたらハッピー・ハンドをもてるのかわからなかったからだけじゃなく、あのルールを読んだから。わたしひとりで全部読めたのに、だれもそれを知らないんだ。フランシーンは校長先生に、わたしはアルファベットをひと文字も知らないっていってたけど、いまは頭のなかでブリジットがうたうアルファベットの歌を全部思い出せる。いちばん最後の「わたしは知ってるＡＢＣ、あなたもいっしょにうたいましょ」のところまで全部。アルファベットは全部知ってるんだよ。知ってることばもたくさんある。

はやくもどってきてよ、ブリジット。そうしたら、わたしの手紙を読んでもらえるのに。

はやくあいたいよ。

スーパー・ノヴァより愛をこめて

3

ノヴァはよく眠れなかった。前の夜にビリーがおいてくれたデジタル時計を見ると、目がさめたのは朝の三時四分だった。ぴったり十五分間、じっと天井を見ていたあとおきあがり、おろしたてのあざやかなブルーのルーズソックスをはいて、窓の外を見た。また雪がふっている。こんなにたくさんふったら、学校は休みになるかもしれない。

ノヴァはそうなってほしいと思った。

できるかぎり音を立てないように屋根裏部屋に通じるドアをあけ、せまい木の階段をのぼった。たくさんある段ボールの箱や古いおもちゃ、クリスマス用の飾りなどにぶつからないように気をつけながら、つきあたりの丸い窓にむかった。

窓ガラスに鼻をおしつけて外を見ていると、息がかかったところだけ、ガラスをおおう霜が丸くとけた。ノヴァは指で霜をすこしだけけずって、口にいれた。味のしないアイスクリームみたいだ。ノヴァは気にいった。さらにもうすこしけずりとって舌の上にのせた。どんどんけずりとっていくと、しまいには霜が全部なくなった。

外は暗い。街灯も見えないし、ポーチのあかりもついていない。となりの家の前にアイドリングをしている車もない。星を見るには最高の環境だ。天体望遠鏡がありさえすれば。

それに、天体望遠鏡のつかい方を知っていれば。

窓にのこったつめたい露をなめていたノヴァは月を見つけた。夜空にちらばる星や、それらが描く星座、つめたいブルーのきれいな海王星も大好きだけれど、ノヴァは月も大好きだ。バズ・オルドリンやニール・アームストロングといっしょに、硬くて白い月面に足跡をつけ、アメリカ国旗を立てるところを想像しながら月を見るのが大好きだ。

「これはひとりの人間にとっては小さな一歩だが、人類にとっては偉大な飛躍である」

ママが月着陸は政府のでっちあげだといっていることなんか気にならない。ノヴァはあのとき人類が月の上を歩いたことも、そのあとも何度も歩いたことも心の底から信じていた。ブリジットだってそういっていた。

ノヴァは目をとじて、空をとんでいるところを思いうかべた。身を守るためにママの家のクローゼットにかくれて、ブリジットといっしょに月にむかうロケットに乗っているふりをしたときのように。

はじめてふたりで月にいったとき、ノヴァは五歳でブリジットは十歳だった。ママとくらしていた家のクローゼットのなかだった。ママはラジオがつけっぱなしのキッチンにいた。そこには知らない人がいて、ママはその人にむかってどなっていた。

「あんたらがなにをしにきたか、わかってるんだからね！　うちの子どもたちをさらいにきたんだろ！」

「とんでもありません、ベッツィーナさん。わたしたちはお子さんたちのことが心配なだけなんです。こちらに通報がありまして……」

「ノヴァにはわたしが必要なの！　それに、わたしにはブリジットが必要なのよ。放送終了後のテレビが流してる秘密の情報を解読できるのは、あの子だけなんだから！」

放送終了までおきてテレビを見ていいことなんてほとんどなかった。それでもときどき、ジョニー・カーソンの「ザ・トゥナイト・ショー」を三人いっしょに見ることはあった。放送がおわると、画面にはためく星条旗があらわれて、国歌が演奏される。ママはいつもふたりを立たせて、胸に手をあてさせ、ブリジットには国歌をうたわせた。そうすれば、軍にいるパパもよろこぶだろうと、ママはいっていた。

国歌がおわると、画面にはジェット機があらわれる。そのジェット機は白黒の画面の空をとびまわり、そこに男の人が朗読する詩が流れる。毎晩毎晩おなじ詩だった。ノヴァはその詩をきくのが好きだった。特にはじまりの部分とおしまいの部分が。

その詩はこんな風にはじまる。

オー！　わたしはいま、地球の絆からときはなたれた。
笑いに満ちた銀色の翼で空へとおどりでて、
太陽にむかってひたすらかけのぼり、
ちぎれ雲のうかれさわぎに身をまかせる。

そして、おしまいの部分はこうだ。

わたしは、風のさかまく高みへやすやすとかけのぼった。
ヒバリもワシさえもとどかないはるかな高みへと。
わたしは胸の高まりを静かにたたえて、
だれものぼることのかなわない神聖な高みで
手をさしのべ、神の御顔にふれるのだ。

そのあとには、つんざくような高い音がつづいた。ブリジットはその音の意味は「テレビを消してベッドにいきなさい」だといった。でも、ママはその瞬間がいちばんうれしそうだった。なぜなら、そのあとにザーッという砂嵐があらわれて、その砂嵐がママに秘密のニュースをつたえるからだ。ママに微笑みをもたらすニュースを。

ノヴァとブリジットがはじめて月までいったとき、ママは微笑まなかった。ママは泣いた。

ブリジットとノヴァはクローゼットのロケットにとじこもった。

「だいじょうぶだから」ブリジットはいった。ノヴァをぎゅっと抱きしめてから、ノヴァの腕にナサベアをすべりこませた。「わたしたちは、もう、ここにはいないんだよ、ノヴァ。もっともっと遠くにいこう。さあ、目をとじて。カウントダウンだよ。テン…ナイン…エイト…」

「ベツィーナさん、おちついて。お願いですから」知らない人がそういった。

「セブン…シックス…ファイブ…」ブリジットはいった。

「どうして、こんなことをするの！」ママがいう。でも、その声はカウントダウンが進むとどんどん遠ざかっていった。

「フォー…スリー…ツー…」

「すこし、ようすを見てみませんか？」知らない人がいう。

「ワン…」

「ようすって、なんの？」とママ。

「発射」ブリジットがささやいた。

ノヴァは無重力状態になって体がうくのを感じた。宇宙飛行用のヘルメットをしていてよかったと思った。宇宙には空気がないんだから。ノヴァはもう、なにもこわくなかった。ブリジットはロケットの操縦のしかたを知っているし、ふたりは月を目指しているんだから。

「わたしたち、地球からはなれていくよ」ブリジットがかすれた声でいった。ブリジットは懐中電灯をつけて、地球儀のうしろから照らした。「ほら、見て！　遠くに青と緑の星が見える！　もう、目をあけていいよ。ずいぶん遠くまできたね」

ノヴァは目をあけた。地球はうしろから照らされている。ノヴァはにっこり笑った。ずいぶん遠くまできたようだ。こんなに長くとんでいるんだから。これまでにも、これぐらい遠くまできたことはあった。でも、それ以上遠くまではいかなかった。まだ、月までいったことはない。

ノヴァはナサベアのやわらかいプラスチックのヘルメットにキスをした。ブリジットは背中から大きな白い風船をとりだした。空気を吹きこんで、地球儀とおなじぐらいの大きさにふくらますと、吹きこみ口を結んで、ノヴァの前においた。

「ムーン！」ノヴァは指さしていった。ブリジットの顔がかがやいた。

「そう、月だよ！」ブリジットはトランシーバーを口にあてた。「地球管制塔、こちら、スペースシャトル、ノヴァブリジット号！　海面より五百五十キロ上空の安全空域に達しました。時速三万二千キロで航行中。つぎの着陸地は月です。どうぞ」

「お願い！」地球のどこか遠くでママがさけぶ声がする。「お願いだから、わたしの娘たちをつれていかないで！」

「ムーン！」ノヴァはそういってナサベアをぎゅっと抱いた。

「そう、月だよ。ついにやったね、ノヴァ」ブリジットがささやいた。「もう、安全だから。いま着陸したところ。さあ、月の石を踏みしめよう」

それからブリジットはお気にいりの歌を口ずさんだ。地球管制塔と交信する宇宙飛行士のトム少佐のことをうたったデヴィッド・ボウイの『スペイス・オディティ』という曲だ。「さあ、いまこそカプセルからでるときだ！」

ノヴァはうなずいた。地球でおこっていることは、もうなにもきこえない。知らない人がふたりの名前を呼ぶ声もきこえない。

それに、もうなにも感じない。感じるのは無重力状態と、月の石の踏み心地だけ。

ブリジットがジャケットを着せくれたときも、ママがおでこにキスをしたときも、ノヴァはなにも感じなかった。

おまわりさんにやさしく抱きあげられて、なじみのない車に乗せられたときも、なにも感じなかった。

そしてノヴァは、物音ひとつ立てなかった。ノヴァのまわりでひびきわたる地上の騒音をかき消すための、ハミングさえもしなかった。

ソーシャルワーカーがノヴァを車の後部座席におしこんだときも、ブリジットがノヴァの手を強くにぎったときも、ノヴァは物音ひとつ立てなかった。

車がママの家からはなれるときも、ノヴァは物音を立てなかった。

すごく遠くはなれていたから。月の上にいるんだから。

お姉さんといっしょに。

安全に。

ひとりっきりで屋根裏部屋にいても、ノヴァはちっともたいくつしなかった。目をつぶっていてさえも。でも、ふたたび目をあけたとき、丸窓からは光がさしこんでいて、雪はやんでいた。そして、階段の下からフランシーンが呼ぶ声がきこえた。

「ノヴァ、上にいるの？」

「アー！」ノヴァは答えながらあたふたと立ちあがった。どれくらい眠っていたんだろう？クリスマス休暇あけの学校の最初の日を寝すごしてしまった？

階段をかけおりると、ノヴァの部屋にフランシーンがまっていた。

「あー、よかった！　ベッドにいなかったから、パニックになりそうだったのよ。さあ、着替えましょ。それから、朝ごはん。ビリーが特製チョコチップバナナパンケーキを作ってるの」

床の換気口からベーコンのにおいが立ちのぼっていた。ノヴァのおなかがグーッとなった。キッチンに立って、パンケーキをひっくり返しているビリーを思いうかべた。ビリーは料理をするのが大好きだ。とくにフランシーンが作ってくれない健康にわるそうなものを作るのが。フランシーンは、ビリーは体重を気にしなくちゃいけないのに、といっている。

「でも、ぼくは甘党なんだよ！」ビリーはいう。

ノヴァは自分が甘党なのかどうかわからなかったけれど、先週末、アイシングをかけるのを手伝わせてくれたビリーのレッドベルベットパンケーキはすごくおいしかった。

フランシーンは土曜日に買った服をノヴァが着るのを手伝った。夜空のような深い青色の地に、星がちりばめられたような銀のドット柄の長袖シャツの上に、前にポケットのついた青いデニムのオーバーオールをはいた。ノヴァはフランシーンに髪をブラッシングしてもらった。ブラッシングは大きらいだったけれど。それから、フランシーンはノヴァの髪を三つ編みのおさげにして、「かわいいわよ」といった。

ノヴァは顔をしかめた。かわいくなんかなりたくない。

「ランチの前と、授業が全部おわったあとにトイレにつれていってもらえることになってるけど、もし、それ以外のときにいきたくなったら、ピアース先生につたえるのよ。いいわね？ オーバーオールをぬぐのにお手伝いが必要だってことは、ピアース先生にいってあるから。先生のアシスタントがいつでもたすけてくれるからね。もしものときにそなえて、予備の服もつめておくから」

ノヴァは顔を赤らめた。この二年間、学校で粗相をしたことは一回もない。ジェファーソン・ミドルスクールの初日に粗相をするつもりもない。

「だいじょうぶ、ノヴァ？」フランシーンがたずねた。手のひらをノヴァのおでこにあてる。

ノヴァはあとずさりした。

「パンケーキが焼けたよ！」キッチンからビリーが呼んだ。

ノヴァはすぐに気をとり直してキッチンにいそいだ。ジョーニーは先にテーブルについていて、カリカリのベーコンがパンケーキのシロップまみれだ。いつもの席についたノヴァは、急にすごくおなかがすいてきた。

「『星の王子さま』のビデオ、録画してあげるね」ジョーニーが微笑みながらいった。「ノヴァは好き？　わたしが帰ったら、いっしょに見ようよ」

『星の王子さま』は好きだけれど、ノヴァは「ケイ、ケイ」とは答えなかった。緊張しすぎて声がでない。

それから一時間後、ノヴァは生徒たちの海のなかでおぼれそうになっていた。まわりじゅうに人がいると、ジェファーソン・ミドルスクールの玄関ホールはひろく見えないし、下見にきたときよりよそよそしく感じた。あまりにもいろいろな音がひびいているし、においもごちゃまぜだ。それに、つぎつぎと体がぶつかってくる。これじゃあ、これまでの学校とまったくおなじだ。ノヴァも覚悟しておくべきだった。

フランシーンは、予定どおりノヴァを廊下のいちばんおくの特別支援学級につれていった。両耳を手でふさいで歩きながら、ノヴァは自分が動物収容所の裏部屋につれていかれる野良犬のようだと思った。ノヴァはアニメ映画の『わんわん物語』を見たことがあったので、動物収容所がどんなところかは知っている。ブリジットはいっていた。「あそこの裏部屋にいったら殺されちゃうんだ」

あそこにいくイヌたちがかなしそうだったので、そこがひどいところだとは知っているけれど、ノヴァはきいてみたかった。「死んだら、そのあとはどうなるの？　また、もどってくる？　養子になるの？　裏部屋で死ぬのは、どうしてかなしいことなの？」

教室につくと、ピアース先生が教卓で大きなカレンダーになにか書いていた。

「あなたがノヴァね！」ピアース先生は立ちあがってドア口でむかえてくれた。「すてきなおさげね！　フランシーン、すごくかわいいじゃない！」

ノヴァは両手を強く耳におしあてたまま顔をしかめた。またあのことばだ。かわいい。

「この子のお名前は？」ピアース先生がナサベアのおなかをつついていった。

「この子はノヴァのクマで、宇宙飛行士なの」フランシーンがナサベアをノヴァに手わたしながらいった。

ノヴァとブリジット以外に、ナサベアという名前を知っている人はいない。ブリジットがいなければ、いつまでたってもだれにもわからない。そう思ったら、ノヴァのおなかがよじれるように痛くなった。

ときどき、大きらいになるよ。ノヴァはブリジットに対してそう思った。

すぐにべつの気持ちがノヴァの怒りをおしのけるようにわいてきた。ノヴァは「ごめんね」といいたかった。ノヴァはヘルメットにこぼれおちる涙も気にせずに、ナサベアをぎゅっと抱いた。

「あら、ノヴァは宇宙旅行に興味があるのかな？」ピアース先生がたずねた。ノヴァは答えなかった。「ムン」ともいわない。「あなたも、水曜日の天文学の授業に登録してあるのよ。高校からボランティアがやってきて、教えてくれるの」

「すてきね！」フランシーンがハンドバックからだしたティッシュペーパーで、ノヴァの頬の涙をふきながらいった。「天文学だなんて、どんな風にはじまったんですか？」

「高校の二年生と三年生は、自習時間中にミドルスクールの生徒に教えると、特別な単位がもらえるんです。将来、特別支援教育の教師になりたいと思っている女生徒がいたんですけど、その子はたまたま、宇宙物理学と天文学も大好きだったの。それで、その子に経験を積んでもらえれば、将来にも大学受験にもすごく役立つだろうと考えて……」

話が長くなってきたので、ノヴァは気をそらしてしまった。ぶらぶらと自分の机にむかって歩いた。その机の下に、腕の細い、でもおなかがぽっこりふくらんだ丸顔で髪をつんつん立たせた男の子があぐらをかいてすわっていた。

「やあ」その子がいった。ノヴァはふりむいてみたけれど、だれもいなかった。

「きみに話しかけたんだよ！」男の子はクスクス笑った。「バカだなあ。きみもぼくのほら穴にすわりたい？　外にはクマがいるからね！」そういって、ナサベアを指さす。「クマに食べられちゃうぞ！」

なんてバカバカしいの！　ノヴァは『ふしぎの国のアリス』のせりふを借りてそう思った。ノヴァはその子にいってやりたかった。「ナサベアはプロの搭乗科学技術者なんだから。宇宙飛行士じゃないけど、科学や教育の専門家なんだよ。特別な職業の専門家としてＮＡＳＡが乗組員にえらんだんだから。研究者とか、今度はじめて宇宙にいく学校の先生みたいに。搭乗科学技術者はぜったいに人間を食べたりなんかしない。フリーズドライのフルーツがある限りはね」搭乗科学技術者のことは、ブリジットがなにもかも教えてくれた。でも、ノヴァはその子に話しかけることができないので、ナサベアを床において、机の下にもぐりこんだ。

「ぼくはアレックス。きみは？」

ノヴァは口をあけたけれど、声はでなかった。

「こわがらなくてもだいじょうぶだよ」アレックスは微笑みながらいった。「このクマはほんものじゃないから。ただのごっこ遊びだよ」

「アレックス、ノヴァ、机の下からでてきてちょうだいね！」ピアース先生が大きな声でいった。「『朝の輪』の時間よ」

アレックスがノヴァの手首をつかみ、本棚の前に半円におかれた椅子の方にひっぱっていった。アレックスの手をふりほどきたかったけれど、氷のようにつめたいアレックスの指は気にいった。移動のとちゅう、ノヴァはあいている方の手でナサベアをすくいあげた。

生徒が六人、すでに椅子にすわっていた。男の子と女の子が三人ずつ。その子たちのうしろには、おとながふたりすわっていた。男の人がひとりと、女の人がひとり。ぴったりおなじ数ずつ。ノヴァは微笑んだ。左右対称だったり、数のバランスがとれているのは大好きだ。

ピアース先生は本棚を背に、みんなの方をむいてすわっている。横にはイーゼルが一台、床には厚紙の切りぬきの山がある。ピアース先生は女の人なので、女の方がひとり多いけど、ナサベアは男の子なので、ノヴァは、まあいいことにした。

「みなさん、おはようございます！」ピアース先生がいった。

「おはようございます！」アレックスとほかの子が何人か答えた。ノヴァはすぐに、男の子と女の子がひとりずつ、なにもいわなかったことに気づいた。男の子の方は椅子の上でぴょんぴょんとびはねながら、舌打ちのような音を立てていた。女の子の方は、車椅子にすわっていて、頭が片方にかたむいている。なんだか窮屈そうに見えた。ノヴァは手をのばしてたすけてあげようとしたけれど、うしろにいた女の先生がノヴァの手をじゃました。

「みなさん、転校生を紹介します」ピアース先生がいった。「ノヴァです。さあ、ノヴァ、みんなに手をふれるかな？」

ノヴァがじっとしたままでいると、うしろから女の先生がノヴァの手をひっぱりあげて、ふった。ノヴァはその手をふりほどいた。

「ノヴァは十二歳で、オライリー先生の六年生のクラスにはいりました。みなさん、順番にノヴァに自己紹介しましょう。名前と年と、好きなことをひとつ教えてあげてね」ピアース先生は厚紙を一枚拾いあげて、イーゼルにのせた。それぞれの生徒の写真の横に名前が書かれたリストだった。ノヴァの分は写真ではなく手書きのにこにこ笑った顔の絵だった。ピアース先生はいちばん上の名前を指さした。「アレックスからお願いね」

アレックスはピアース先生のすぐそばの椅子にすわっていた。アレックスは立ちあがると兵隊のように両手をまっすぐ体の横にぴんとのばした。

「ぼくの名前はアレックス。十三歳。バスケットボールが好き」

「ありがとう、アレックス」とピアース先生。「つぎ、どうぞ」

女の子がふたり、つづけて自己紹介した。馬が好きな十二歳のマロリーと、ささやくように十一歳といったけれど、好きなことはいわなかったメアリーベスだ。つぎは、椅子の上ではねていた男の子の番だった。うしろにいた男の先生がその子のことをバディだといって、十一歳だと教えてくれた。バディはノヴァにむかって手をふろうとしたけれど、手のむきがおかしくて、自分自身にむかって手をふっているようだった。でも、男の先生は「よくできたね」といって、バディにキャンディをひとつあげた。ノヴァはまねをして、自分にむかって手をふってみたけれど、だれもキャンディをくれなかった。

つぎはルークとトーマスだった。どちらも男の子で、どちらも十三歳だ。ルークは鼻の下にうっすらとひげがはえていて、トーマスは鼻がつまっているような声で話した。ノヴァはふたりの好きなことはきいていなかった。みんなの名前をおぼえられるか心配していたからだ。ピアース先生、アレックス、オライリー先生、マロリー、メアリーベス、ルーク、トーマス、男の先生、女の先生、ナサベア。ノヴァはわすれないようにと、すぐさまあだ名をつけはじめた。「ぴょんぴょんバディ」、「おとなしメアリーベス」、「うすらひげルーク」……。

「さて、最後はマーゴットよ」ピアース先生は車椅子の女の子のひざをたたきながらいった。それから、リストの一番下の名前をたたいた。「マーゴットは音楽が大好きなの。特にマドンナがね。そうでしょ、マーゴット？」

「音楽マーゴット」に反応はなかった。頭はななめにかたむいたままだ。もう一度、直してあげようと、ノヴァは手をのばしかけた。今度も、うしろにいた女の先生がその手をおしのけた。

「お手伝いをしてくれるのはマローン先生とチェンバーズ先生よ。すぐになかよくなれるわね」ピアース先生はそういったけれど、ノヴァは顔をしかめた。名前をおぼえなくちゃいけない人がまたふえた。男の先生がマローン先生で、女の先生がチェンバーズ先生。

ノヴァにとってだいじなのはブリジットだけなのに。

「ビジェ」ノヴァはそうささやいて、自分でもおどろいた。ずいぶん長いあいだ、その名前を口にしていなかった。ノヴァは目をとじて、ナサベアを抱きしめた。ナサベアの名前はだれも知らない。

「ノヴァは宇宙飛行士と宇宙が好きなんですよ」ピアース先生がいった。「さあ、みなさん、起立して国旗に忠誠を誓いましょう」

このあとのことは、ほかの学校とだいたいおなじだった。起立して忠誠を誓う（マーゴットは立たない）。そのあと、しばらく黙祷する（ぴょんぴょんバディは静かにしていなかった）。ピアース先生が子どもっぽいお話を読んだ（モーリス・センダックの『かいじゅうたちのいるところ』だ）。アレックスが大きなカレンダーのその日のところにしるしをつけた（月曜日のところだ）。マロリーがその日の天気を発表した（くもりだ）。最後はみんな自分の席にもどった。

「今週はテストをしましょうね」窓際のノヴァの机の横に立ったピアース先生がいった。「あなたがどれくらいのことを知ってるかわかるようにね」

ノヴァはため息をついた。

また、おなじような学校のおなじような一日だ。
おなじようなテストを受ける一週間だ。

カウントダウン❽ 一九八六年一月二十日

ブリジットへ
チャレンジャー打ちあげまであと八日。
いまはジェファーソン・ミドルスクールの初日の昼休み時間。ちょっと前にランチがおわった。わたしはピーナッツバターとマシュマロクリームのサンドイッチを食べた。きょうの朝、フランシーンが作ってくれた。フランシーンは、カーネーションピンク色のプラスチックのランチボックスにいれてくれた。テレビでやってるマイリトルポニーの絵がついたランチボックスだよ。新しいリュックサックももってる。これもピンク。サーモンピンクで、カーネーションピンクじゃない。わたしはピンクはうすい色もこい色も大きらいだけれど、ちょっとだけ好きになってきた。ピンクのリュックサックはわたしだけのものだし、ピンクのランチボックスもそう。わたしだけのものをもってるのはすごくうれしい。それがピンクだとしても。

マシュマロクリームはふしぎ。マシュマロなのにバターみたいにパンにぬれるんだよ。舌が変な感じになるけど、まあおいしい。

このあとは、チェンバーズ先生につれられて、マロリーとメアリーベスといっしょに、六年生の普通クラスにいく。マロリーは馬が好きで、メアリーベスはすごく小さい声で話す。

社会の授業のあいだ、「バスケ・アレックス」と「うすらひげルーク」、「鼻づまりトーマス」は、マローン先生と七年生の教室にいく。

「音楽マーゴット」と「ぴょんぴょんバディ」は、ピアース先生とこの教室にのこる。

いまいったことは、ピアース先生がわたしの絵入りスケジュールを作りながら教えてくれたあだ名はわたしがつけたんだけどね。

朝の輪のあとは、ほかの学校の初日と変わらなかった。テスト、テスト、テスト。たいくつ、たいくつ、たいくつ。できれば、ビリーとフランシーンの家の丸窓のある屋根裏部屋で、ナサベアといっしょに『スペイス・オディティ』をききながら、星のなかをとんでいたい。

ピアース先生はいろいろな形の青いプラスチック板をならべて、わたしにさわるようにいった。

「三角にさわって。円にさわって」

わたしが正しくできると、ぴょんぴょんバディがうしろむきに手をふったときみたいに、細長いグミを小さく切ったのをくれた。これまで、なにかをじょうずにしたからって、先生からお菓子をもらったことはなかった。

わたしがまちがった形にさわると、先生はわたしの手をとって、正しい形の上においた。何回もまちがえて腹が立ったけど、先生のいうことなんか、あんまりきいていなかった。だって、幼稚園でも一年生でも二年生でも三年生でも四年生でも五年生でも六年生でも七年生のとちゅうでも、ずっとおなじことをやらされて、あともどりさせられてるんだから。いつだって、おなじことを何回も何回もさせられる。どの学校でも、どの学年でも、どの教室でもおんなじ。

いやな方のおんなじ。

外には冬なのにリスがいる。

教室ではほかの子たちがやかましい。

天井のあかりは、ブーンとうなってる。

暖房がガタガタうるさい。

鉛筆が紙をこする音で耳が痛い。

わたしの脳はずっと月にいったまま。わたしの体じゅうに宇宙のほこりがつまってると思う。だからときどき、先生が「三角」といったとき「四角」だと思ってしまう。教室のあちこちから四角っぽい音がきこえてくるから。

すると、先生は色のときとおなじことをするから、わたしはもうきかなくなる。わたしはプラスチックにさわってるつもりだけど、ちゃんと見てるかどうかはわからない。だって、心のなかでは宇宙の星を見ていて、足の下には月の石を感じているんだから。たくさんの月の石を。

わたしは、NASAがはじめて宇宙にいく先生をきめた日のことを考えはじめる。

一九八五年の七月十九日だった。

ブリジットはいったよね。あの発表がわたしの十二歳の誕生日におこなわれたのは運命なんだって。そして、打ちあげはブリジットが十八歳になる日にきまることを願ってた。それも運命だから。あのときは、運命っていうことばの意味は知らなかったし、いまも知らないけど、打ちあげの日が一九八六年の八月じゃなく、一月にきまったから、NASAは運命なんて気にかけていないんだって思った。

わたしがいちばんおぼえてることがなにかわかる？

ブリジットは新聞を手にとって、「一万一千人以上の教師のなかからNASAがえらんだのは、ニューハンプシャー州のクリスタ・マコーリフ……」っていうところまで読んだあと、悲鳴をあげたよね。あのとき、わたしのおなかのなかでチョウチョウがとびまわっていたんだ。わたしは思わず手で口をおさえた。だって、チョウチョウがにげだしてしまいそうだったから。数えきれないほどの、たぶん夜空の星よりも多い数の先生のなかから、NASAがえらんだのが、わたしたちとおなじニューハンプシャー州に住んでる先生だったなんて！

どうして泣いちゃったのか、自分でもわからない。チョウチョウのせいかもしれないし、運命のせいかもしれない。もしかしたら、ブリジットのしあわせそうな悲鳴が大きすぎたせいかもしれない。

そしてそのあと、ブリジットはいったんだ。宇宙飛行士が地球の大気圏からぬけだすみたいに、わたしたちもいっしょに里親のところからぬけだそうって。おぼえてる？

あそこが、わたしのいちばん好きなところ。

だから、ブリジットには早くもどってきてほしい。

見のがすわけにはいかないんだから。

休み時間がおわった。ピアース先生は落書き帳をしまってといっている。先生はわたしの手紙ノートを落書き帳っていう。わたしが書いたブリジットへの手紙は、先生にはただのデタラメな落書きに見えている。これまでの先生たちとおんなじだ。先生たちはフランシーンとおなじように、わたしには字が読めないと思ってる。だけど、読めないのは先生たちの方かもしれないのに。ブリジットはいつだってわたしの字が読めた。デタラメの落書きだなんていわなかった。赤ん坊の落書きとも。わたしは赤ん坊なんかじゃない。

あいたいよ。

スーパー・ノヴァより愛をこめて

4

火曜日の午前は、月曜とおなじだった。ピアース先生はノヴァの能力をテストした。「そっくりさん」とラベルが貼られた箱のなかから、なにかひとつ物をとりだしてノヴァにわたし、「そっくりさんはどれ?」といいながら、写真をえらばせるテストだ。

プラスチックのフォーク。シャボン玉セット。ゴムボール。

ごほうびのグミ。ごほうびのグミ。ごほうびのグミ。

そのグミはちょうどいい甘さと酸っぱさだったので、ノヴァはリスや光や熱、ほかの子たちをなるべく無視して、たくさんもらえるようにがんばった。

ランチの時間には、マロリーとアレックスがノヴァの両脇にすわっておしゃべりをした。ふたりはすごくたくさんしゃべった。ときどきは、ふたりが同時にしゃべるので、ノヴァはすこしめまいがして、どちらの声もきかないようにしたけれど、ふたりともそれには気づいていないようだった。

ランチのあとの休み時間に、アレックスがノヴァの手をひいて、本棚の前の「朝の輪」のカーペットのところにつれていこうとした。マロリーはぴょんぴょんバディをつれてきた。おとなしメアリーベスもすこししてやってきた。

「すわって、バディ」マロリーがバディの手をひいた。マロリーは床にあぐらをかいてすわっている。マロリーはとなりにすわったバディをハグした。するとバディはにこっと笑った。ノヴァとはちがって、バディはハグが好きみたいだ。「これから、ボールゲームをしようね」

「ボールゲーム?」メアリーベスは舌足らずな小さな声でいった。ピアース先生にはいつも「もっと大きな声で、自信をもって」といわれている。

「そう」マロリーがいった。

「ボールゲームはしたくないな」メアリーベスの声があんまり小さかったので、ノヴァにはほとんどきこえなかった。

「あら、そう」マロリーは肩をすくめた。「だけど、わたしがボールゲームをするっていったらしなくちゃいけないの」

マロリーは棚のいちばん下の段から、あざやかなグリーンの大きなゴムボールをとりだした。その棚には本のかわりにボードゲームやおもちゃがおかれていた。ノヴァはほかの子とおなじようにあぐらをかいてすわり、ひざの上にナサベアをのせた。

「マロリーはすごく『えばり屋』なの」メアリーベスがノヴァの耳にささやいた。

いばり屋のことだろうと思って、ノヴァは微笑んだ。ブリジットもほかの子からよくいばり屋だといわれていた。だれと遊ぶときでも、ブリジットはいつもなにをして遊ぶかをきめ、しきっていた。ノヴァはいばり屋がきらいじゃない。

「ラブ・ボールゲームだ！」アレックスが手をたたきながらいった。「ぼくが説明する！」

ノヴァ以外はみんな遊び方を知っていたけれど、アレックスは全員がちゃんと説明をきいてからじゃないとはじめないといいはった。しまいには、みんな静かになった。バディさえもだ。

「自分の前でボールを五回バウンドさせてから、色とか、数字とか、文字とか、どうつぶ、じゃなくて動物をひとついうんだ。それでボールをほかの子にパスする。その子もおなじことをするんだ。でも、五回でいえなかったら、またはじめからやり直し！」

ノヴァにはわからなかった。それで、マロリーがいいたした。

「わたしが鳥っていって、ボールをアレックスにわたすでしょ。そしたら、アレックスはイヌっていう。つぎのメアリーベスがブタっていえば、ゲームはつづくんだけど、五回バウンドするうちに思いつかなかったら、そこでおしまい。そこからは、べつのカテゴリーをえらんで、やり直すの。カテゴリーってわかる?」

ノヴァにはわからなかった。でも、マロリーは返事をまたなかったのでたすかった。

「頭を回転させてね!」いばり屋マロリーが、ボールを四回バウンドさせた。

「頭を回転させたことなんて、ないよ!」おとなしメアリーベスが、べそをかきながらいった。

ノヴァは顔をしかめた。自分やぴょんぴょんバディみたいにことばを話せない子が、どうやってこのゲームをするんだろう?

「ウマ!」マロリーはそういうと、ボールをバディにわたした。バディは片手(かたて)でボールをつきながら、反対の手を顔の横でOKサインのようにして、その手を顔から遠ざけた。

「あれはね、手話でネコっていってるんだ」アレックスにボールをわたすバディを見ながら、マロリーが説明した。「やったね、バディ!」

アレックスはボールを五回ついた。そして、五回目に「ハト！」とさけんで、ボールをメアリーベスにわたした。メアリーベスは五回目に「アヒル」とささやいた。ボールがノヴァにまわってきた。ノヴァはどうしよう、と思いながらゆっくりボールをバウンドさせた。目をきょろきょろさせていると、本棚の上のマザーグースのポスターに気づいた。一枚のポスターにはひとつ、ものの絵がついている。

「ツジ！」自分でも思った以上に大きな声がでてしまった。ノヴァはポスターを指さした。

「ヒツジね！」マロリーがくり返した。「いいよ！　パスして」

ノヴァがアレックスにパスすると、アレックスは「カバ！」とさけんだ。

休み時間のおわりのベルがなって、ノヴァには二回目の順番がまわってこなくてほっとした。

ブリジットや先生のいない場所でほかの子にむかって話したのは、これがはじめてだった。話せることばもほとんどないのに。

そして、自分がほかの子たちとおなじようにグループの一員だと心の底から感じられたのは、生まれてはじめてのことだった。

なんだか変な気分だった。

でも、すごくいい気分だ。

まるで、ジェットコースターに乗ってるみたいだ。ガタンガタンと坂をのぼっているときじゃなく、一気に坂をくだりおりているときの気分。サンドイッチのマシュマロクリームみたい。ふしぎな感じだけど甘い。そして、月面に無事におりたったときのような気分。「静かの海」に。まわりにはほかの宇宙飛行士がいる。みちびいたのはブリジットだ。

ところが、その日の午後は楽しくなかった。またもやテストだった。グミにはうんざりだった。食べすぎでおなかが痛くなり、はじめて里親につれられてブリジットといっしょに遊園地にいったときのことを思い出してしまった。ジェットコースターやぐるぐるまわるティーカップに乗って、綿あめやホットドッグを食べ、しまいには吐いてしまったときのことだ。

ノヴァは目をとじて、手で耳をおおった。あの日のことを思い出したかった。テストするピアース先生からにげたかった。そして、ブリジットにもどってきてほしかった。

あれは新しい学年がはじまる直前の八月末のことだった。ノヴァは七歳、ブリジットは十二

歳だった。ふたりともお気にいりの洋服を着ていた。ブリジットはブルーとグリーンのストライプのノースリーブシャツに、カーネーションピンクの短パン。ノヴァはレモンイエローのTシャツの上に、コーデュロイの赤いオーバーオール。それぞれ、服に合わせたスニーカーを素足にはいていた。ルーズソックスをはきはじめるまで、ノヴァは靴下が大きらいだった。つま先を横切るように線がはいっているからだ。

　夕食のとき、里親のお母さんはぐあいがわるかった。ジェットコースターに乗ったわけでも、綿あめを食べたわけでもないのに、吐きそうだといっていた。お母さんはお父さんにつれられてトイレをさがしにいった。ノヴァとブリジットはピクニックテーブルにすわって、ホットドッグとフライドポテトを食べながらふたりをまった。

「きいてちょうだい、ノヴァ」ブリジットがいった。「わたしはいつもいってたよね。あの人たちのところにきても、たよりになるのはわたしたちふたりだけだって。だけど、あの人たち、なかなかいいよね。わたし、あの人たちとソーシャルワーカーが、これからのことを話してるのを立ちぎきしちゃったんだ。あのふたりもソーシャルワーカーも、わたしたちがはなればなれになることをすごく心配してるみたいだった。そんなことはぜったいにおこっちゃいけないって。それでね、思ったんだ。もしかしたら、あのふたりはわたしたちに養子にならないかっていうんじゃないかって。ほら、だいじな話があるっていってたでしょ？　あのふたりは、わたしたちとほんものの家族になりたいんじゃないかと思う。前の家にいた女の子が、いつまでもつづくほんものの家族がほしいって、しょっちゅういってたの、おぼえてるでしょ？　あのとき、わたしはいったよね。そんなバカなことおこるわけないってね。だけど、わたしがまちがってたのかもしれない」

ノヴァはホットドッグをおとしそうになった。ブリジットはまちがったことなんてなかったからだ。どんなことでも、たったの一度も。

「もし、今晩、ふたりがわたしたちを養子にしたいっていったら、わたしはお願いしますっていうつもり。いいよね？　でも、ノヴァがいやならいわない。わたしは来年にはティーンエージャーになるけど、ノヴァはこの先まだ十年以上、あの人たちとくらすことになるんだ。だから、ノヴァがそれでいいなら返事をする。じっくり考えてみて。いいね？」

ノヴァはポテトをケチャップにつけた。そして、じっくり考えた。

「ケイケイ」最後にノヴァはそういった。ブリジットはキャッといってノヴァを抱きしめた。そのせいで、ポテトがおちてしまった。オーバーオールに油とケチャップがついた。ブリジットがきれいにしてくれた。

里親の両親がもどってきた。家に帰る時間だ。

家に帰る車のなかで、ふたりはブリジットとノヴァを養子にしたいとはいわなかった。

そのかわりに、赤ちゃんができたとつたえた。

そして、子ども三人は手がかかりすぎるといった。

明日、新しいソーシャルワーカーがくるからと告げた。それがスティールさんだった。

とてももうしわけないけれど、ふたりには、どこかべつの家にいってもらうことになるといった。

その夜、寝る前にブリジットは泣いた。ブリジットはそれまでに泣いたことがなかった。そのせいで、ノヴァはおなかが痛くなった。

「わたしはまちがってなかった」ブリジットはふたりでつかっている部屋で、ノヴァをふとんにくるみながらいった。「いつまでもつづくほんものの家族なんてものは、ないんだよ、ノヴァ。いつまでもつづくほんものの家族はわたしとノヴァだけ！　それ以外はない。わかった？　ほかにはだれもいない。わたしはこれまでとおなじように、ずっとノヴァのめんどうをみるから。ノヴァとわたし、ナサベアとわたしたちのスペースシャトル、そして月。それだけ。

わかった？　そういうこと」

「ノヴァ？」ノヴァの思い出をじゃましたのはブリジットの声ではなく、ピアース先生の声だった。「ノヴァ？　気分でもわるいの？」

ノヴァは机におでこをくっつけてつっぷし、ピアース先生を無視した。

イエス。ノヴァはそう答えたかった。イエス、気分がわるいんです。ブリジットがいないから。

ようやくテストにもどれるようになったころには、もう終業の時間だった。

その日の夜、寝る時間になると、ビリーとフランシーンがいっしょにノヴァをふとんにくるみにきた。いつもは交代できているので、おかしいとは思ったけれど、ノヴァはあまり気にしなかった。

「ピアース先生がおっしゃってたけど、きょうのテストの時間、あまり集中できなかったのね」

フランシーンが毛布をノヴァのあごのところまでひっぱりあげながらいった。ノヴァはそうしてもらうのが好きだった。「あなたがどれぐらいわかっているのかを知るのは、ピアース先生にとって、すごくすごくたいせつなことなの。あなたになにを教えるかは、それできまるんだから。

だからね、わたしたちもあなたには、せいいっぱいやってほしいって思ってるの。オーケイ？」

「ケイ」そう答えたけれど、うんざりだった。せいいっぱいやっても、十分だとは思ってもらえない。だったら、がんばる必要なんてある？

「『ぞうのホートンひとだすけ』はどうだい？」ビリーが本棚から絵本をひっぱりだしていった。ノヴァは自分のこめかみを一、二、三、四回たたいてうめき声をあげた。ビリーとフランシーンは、毎晩、ドクター・スースの本を読む。グミとおなじで、ドクター・スースにはあきあきしていた。

ノヴァはベッド脇のナイトスタンドに手をのばし、ブリジットが大好きだったぼろぼろの『星の王子さま』をとりだし、フランシーンに手わたした。

「あら」

「これを読んでほしいのかい？」ビリーは『ホートン』を『グリンチ』と『ロラックス』のあいだにもどしていった。「ぼくはこの本は読んだことないな」

「フランスの本ね」フランシーンがいった。「これは英語版だけど、もともとはフランス語で書かれたものなの」

「アー！　ムン！」ノヴァはナサベアの前足をふった。ナサベアもブリジットの本をききたいんだ。

『星の王子さま』の表紙には、白をバックに、幅のひろいミントグリーンのズボンをはき、赤い蝶ネクタイをした男の子の絵が描かれている。もじゃもじゃの髪は太陽や星とおなじ黄色だ。男の子は惑星の上に立っていて、ノヴァはその惑星が小惑星B612だと知っている。

最初のページには、一ぴきのけものをのみこもうとしているウワバミの絵がある。でも、その本のなかでノヴァがいちばん好きなのは、つぎのページにあるゾウをこなしているウワバミの絵だった。ゾウはまるごとウワバミにのみこまれている。ゾウの見えている方の目は空を見あげていて、「おっとっと。ぼく、食べられちゃったよ」と思っているみたいだった。

「『おとなっていうのは、じぶんたちだけだとなんにもわからないものです』」フランシーンが読んだ。「『いつもおしえつづけなくちゃいけないのは、こどもにとってはくたびれることなのです』」

ノヴァはにこっと笑った。ブリジットのお気にいりの文章のひとつで、ノヴァも好きだった。

六ページでは、星の王子さまが著者に「ヒツジの絵をかいて」といいつづける。ノヴァは体をおこして、本に手をのばした。ブリジットはいつも、その部分をとばして読んでいた。ノヴァはヒツジがきらいだから。ふたりを守るためにママがキッチンのテーブルをおおっていたふわふわで白い毛布を思い出すからだ。ノヴァは九ページをひらいて、フランシーンに返した。『星の王子さま』は、おやすみ前の本にしては長すぎて、ノヴァが二番目に好きなところまでは読んでもらえなかった。星の王子さまがキツネにあうシーンだ。キツネは星の王子さまにすごい秘密を教えてくれる。ベッドにいく前に、ブリジットがよくノヴァにささやいたすごい秘密だ。「心で見ないと、ものごとはちゃんと見えないんだよ。ほんとうにだいじなことは目には見えないのさ」

「これはね、わたしたちの心はつながってるから、理解しあってるってことなんだ」ブリジットはそうささやく。「ほかの人にはわたしたちのことはわからない。目で見えることしか知らないから」

ノヴァは目をとじた。やわらかい枕に頭を沈め、ベッドのとなりにブリジットが寝ているところを想像した。ふたりのあいだ、ブリジットの心臓と自分の心臓のあいだには、小さな木の橋がかかっている。ミドルスクールの廊下に貼ってあった、六年生の子が描いた『テラビシアにかける橋』のポスターの絵のような。

橋。最後にはふたりをいっしょにしてくれる橋。

フランシーンは本をとじ、ノヴァのおでこにキスをした。ビリーはおやすみといった。

まもなくノヴァは夢も見ないでぐっすり眠りについた。

カウントダウン7 一九八六年一月二十一日

ブリジットへ
チャレンジャーの打ちあげまであと七日。

七日っていうことは一週間。

ということは、あと一週間以内にブリジットはもどってきて、わたしといっしょに打ちあげを見るっていうこと。約束したとおりに。約束したときのこと、おぼえてるよね?

それに、ブリジットはけっして約束を破らない。

打ちあげについて、きょうの新聞にべつの話がのっていた。朝ごはんのとき、ジョーニーが読んでくれた。

「『わたしの人生にとって、これは信じられないような大飛躍です』マコーリフはそう語った」

ジョーニーはそこで笑った。「そりゃそうね！　きのうまでニューハンプシャー州で社会の先生をやっていた人が、つぎの日には宇宙飛行士なんだから！　飛行機で空をとんでるところだって想像できないのに、まさかスペースシャトルだなんてね。ノヴァはどう？　想像できる？」

わたしは「ムン」っていった。もちろん想像できるから。ジョーニーにこういいたかった。「わたしは、ブリジットといっしょにずっと想像してきたんだ」って。でも、いえなかったから、ただナサベアの前足をあげて、うなずかせた。ナサベアにだって想像できるってつたえたくて。

きょうは、クラスの子たちとゲームをしたんだ。ほかの里子たちといつもやっていた「想像ゲーム」や、宇宙についてのゲームじゃなかった。

ボールゲームっていうやつだ。

わたしはボールを五回バウンドさせて、動物の名前をいわなくちゃいけない。

ブリジットには信じられないと思うけど――

わたしはヒツジっていった。

これまでは、ヒツジのことを考えて楽しい気分になったことなんて一度もなかった。でも、きょうヒツジは、わたしにとって最高の動物だったんだ。ジョーニーがいったみたいに「想像できる？」

ブリジットにもジョーニーにあってほしいな。きっと好きになるよ。

いろいろ、ブリジットに似たところがあるんだ。ブリジットがよくやっていた、最後の里親たちをおこらせるようなことを、ジョーニーもする。たとえば、大きな音で音楽をきくとか、雑誌を読むとか、むらさき色の口紅をつけるとか、夕食のあとに友だちと「外をぶらつく」とか。だけど、ビリーもフランシーンも「いくんじゃありません、お嬢さん！」ってどなったりしない。ただ「楽しんできて」っていうだけ。

今晩、ジョーニーはでかけなかった。そのかわり、友だちがやってきた。

ジョーニーは「ゲーム・ナイト」なんだっていってた。ボールゲームをするんじゃないよ。大きな四角のボードの上にキッチンとか温室とかって部屋の絵が描いてあって、色ちがいの六個の木の駒をつかって遊ぶたいくつなゲームだった。その木の駒は人のつもりだったり、小さな小さなロウソクだったり、ロープだったりする。

わたしはゲームに参加しなかったけど、ジョーニーは「部屋にいていいよ。お菓子でも食べながら見てれば」っていってくれた。ジョーニーはわたしのことを「女子会のメンバー」って呼んでくれた。うれしくて、かなしかった。女子会のメンバーなのはうれしかった。でも、そのゲームを見てると、十二月にブリジットとブリジットのお友だちといっしょに見にいった映画を思い出したからかなしかった。『殺人ゲームへの招待』っていう映画だったと思う。あの映画にも、ジョーニーのゲームとおなじようにロウソクやロープがでてきた。

ブリジットとお友だちは、あの映画は笑える映画だと思ったみたい。ブリジットは笑って笑って、しまいには涙まで流してた。だけど、わたしは笑えなかった。たったの一回も。あの映画はうるさくて、暗くて、こわくて、頭がこんがらがった。わたしはブリジットの手をにぎりたかったのに、わたしたちを車に乗せてくれた男の子と先に手をつないでいた。ブリジットはふたりと手をつなぎながらポップコーンを食べるのは無理っていった。わたしはブリジットが男の子をえらんだことにかんかんになった。ブリジットにとってあの男の子はただのぶさいくなおさななじみで、わたしはスーパー・ノヴァだとしても。だからわたしは、ポップコーンを床にぶちまけたんだ。

そのあと、ブリジットのお友だちのひとりが、かわりにわたしと手をつないでくれるっていったけど、わたしはあの子の肌にふれるのはいやだった。だからわたしは大声でさけんで、自分で自分を一、二、三、四回たたいたんだ。ブリジットは幼稚園の先生が園長室につれていくときみたいにわたしをロビーにひきずりだしたから、すごくおこってたんだと思う。ブリジットはいった。「お願いだから、ぶちこわしにしないで、わたしのために、ノヴァ！　泣きわめくのはやめてちょうだい。そうしたら、なかにもどれるから」

　わたしは泣きわめきつづけて、なかにはもどれなかった。あれはわるかったと思ってる。きっとわたしは、ブリジットの楽しみをぶちこわしにしたかったんだと思う。

　約束する。もどってきたら、毎日だっていっしょに映画にいこうよ。ブリジットのお友だちみんなと。あの男の子もいいよ。二度とぶちこわしにしたりしないから。わたしは女子会のメンバーになる。

　約束する。ブリジットの手をにぎろうとはしない。そして、そのあとで、お友だちにボールゲームを教えてあげようよ。

　あいたいよ。

スーパー・ノヴァより愛をこめて

5

ジェファーソン・ミドルスクールの三日目の水曜日、ノヴァは興奮しながら目をさまし、興奮しながら着替えて、興奮しながら朝ごはんを食べた。

プラネタリウムの日だからだ。

「いいかい、ノヴァ」ビリーはフランシーンが見ていないときにこっそりスプーン一杯の砂糖をコーヒーにいれながらいった。「椅子にすわって見あげるんだよ。天井はね、スノードームみたいに丸くカーブしてるんだ。映写がはじまると、まるで、宇宙にいるみたいな気持ちになるよ。ぜったい、大好きになると思うな」

ノヴァははやく大好きになりたくてわくわくしていた。

「集中して、お願いだから」ピアース先生は、ノヴァの手に自分の手を重ねていった。ノヴァの指はスケジュールに書かれたプラネタリウムの絵をしきりにたたいていた。「きょうのテストをおわらせなくちゃ。Xブロックのせいで集中できないのなら、Xブロックには参加できなくなるわよ」

ノヴァははっと息をのんで、プラネタリウムの絵から指をはなした。がんばって集中しなくちゃ。ノヴァはどうしてもXブロックに参加したかった。なので、むずかしかったけれど、テストのあいだ、せいいっぱいがんばった。フランシーンが望んでいたように。

「これまでで、いちばんよかったわよ！」テストの時間がおわって、チェンバーズ先生の授業時間になったとき、ピアース先生はとてもうれしそうにそういった。「誇(ほこ)りに思うわ、ノヴァ」

チェンバーズ先生とはアイコンタクトの練習をした。まず、チェンバーズ先生がノヴァの名前を呼(よ)ぶ。ノヴァが先生の方を見ると「ちゃんとできたわね」といって、グミを一粒(つぶ)くれる。

アイコンタクトは、ノヴァにとっていちばんむずかしいことのひとつだ。チェンバーズ先生の目をまっすぐに見つめるのはすごくいやだ。先生にかぎらず、だれの目でもおなじだけれど。ブリジットの目を見るのでさえ、いやだったんだから。ノヴァは顔をしかめた。ブリジットのことを考えたのに、ブリジットの目がどんなだったか、思い出せなかったからだ。茶色だったよね？　わたしとおなじで。

ノヴァは指で自分のまぶたにふれた。そうすれば、答えがわかるような気がして。

「手をおろして」チェンバーズ先生がいった。「ノヴァ？」

ノヴァはチェンバーズ先生を見なかった。

「ノヴァ？」チェンバーズ先生はそういって、目と目が合うまで、ノヴァのあごを手でもちあげた。「はい、よくできました！」

ランチのあと、バスケ・アレックスとおとなしメアリーベス、そしてぴょんぴょんバディといっしょに「ホット・ポテト」ゲームをすることになった。チェンバーズ先生はマロリーもさそったけれど、マロリーはこういってことわった。「なんでわたしが、そんな赤ん坊がやるようなたいくつで、つまらないゲームをやんなきゃいけないの？」

「失礼なこと、いわないの！」チェンバーズ先生はしかった。「みんなにあやまってちょうだい」

「ごめんなさい」マロリーはそういったけれど、ノヴァを見ておどけたように目玉をぎょろっと動かした。ノヴァもまねをしてぎょろっとしてみたけれど、鏡がないので、ちゃんとできたかどうかわからなかった。もしかしたら、ただ眉毛が動いただけだったかもしれない。

チェンバーズ先生はうしろからノヴァの両手をつかんで、おんぼろの布でできたポテトを受けとめたりパスしたりするのを手伝った。ホット・ポテトは、音楽がとまったときにポテトをもっていた人が負けというゲームだ。マロリーのいったことは正しいとノヴァは思った。これは赤ん坊がやるようなたいくつで、つまらないゲームだ。

オライリー先生の教室での午後の授業は、いつもよりずいぶん長く感じた。ついつい何度も壁にかかった時計を見てしまう。時計の読み方を知らないので、ただの丸いものでしかないのだけれど。

ついにXブロックの時間になった！

高校生のボランティア、ステファニーがやってきた。ステファニーは「宇宙と科学の大ファンだよ」と自己紹介した。

「あいさつしましょ」ピアース先生にうながされて、ノヴァは手をふった。

「さあ、いっしょに楽しもうね！　ノヴァっていうのは本名なの？　スーパー・ノヴァのノヴァみたいに？　すごくかっこいい名前だね。スーパー・ノヴァってなんだか知ってる？」

　ノヴァはステファニーの方に顔をむけて（目は見ない）肩(かた)をすくめた。

「そっか、じゃあ教えてあげるね。スーパー・ノヴァっていうのは最高にかっこいいものなんだよ！」ステファニーはノヴァの手をひいて、プラネタリウムにむかおうとしたけれど、ピアース先生がとめた。

「その前に、何か所かいかなくちゃいけないところがあるの。ちょっとまっててね、ノヴァ」

　ピアース先生がいった。

　ノヴァは指で自分のあごをトントンたたきながらまった。スーパー・ノヴァがなんなのかは知っている。スーパー・ノヴァっていうのは自分のことだ。ブリジットがそういった。里親の家にあずけられた最初の夜に、ブリジットがそういった。

　ブリジットはけっしてまちがったりしない。

はじめて里親の家にいった夜、ノヴァとブリジットはとても不安だった。五歳だったノヴァは、ママ以外のだれが自分の世話をしてくれるのか不安だった。十歳だったブリジットは、自分たち以外のだれがママの世話をしてくれるんだろうと不安だった。

ブリジットはつぎからつぎへと質問を口にしたけれど、だれもなにも答えてくれなかった。ノヴァにはききたいことがたくさんあったけれど、それを口にすることはできなかった。

太陽が沈んだあと、けれど、ジョニー・カーソンの番組よりずっと前、新しい里親のお母さんは、ふたりをベッドがふたつある小さな部屋にいかせた。常夜灯もつけない、静まり返った部屋に。

ノヴァはベッドはふたつじゃない方がよかった。ブリジットとひとつのベッドで寝ることになれていたからだ。それに、暗いところにとじこめられるのもいやだった。まるで、ヒツジのおなかのなかみたいだ。ママの家には常夜灯があったし、すこしあけたままのドアから、廊下のあかりもさしこんできた。

さらに、そこには音楽もなかった。ママの家ではラジオから小さく音楽が流れていた。テレビがザーザーいっているときでさえ、ブルース・スプリングスティーンやデヴィッド・ボウイ、その当時のヒット曲やなんかが流れていた。その里親の家できこえてくるのは、外のコオロギの声や木々の葉ずれの音だけだった。家じゅうが静まり返っているので、外の道路を車が通るたび、列車がかけぬけるような音がした。あんなうるさい音はききたくなかった。

新しい里親のお母さんが部屋からでていくと、ブリジットは大きな声で百まで数えた。それから、ベッドからおきあがると、部屋のあかりをつけて、ノヴァのベッドにもぐりこんだ。

「お風呂の窓から見えた三つの星に願いをかけたんだ」ブリジットがささやいた。「ママの家に帰れますように、って三回願ったの」

ノヴァは返事をしなかった。ただ、手で顔をおおった。混乱していて、願いをかけるなんて考える余裕もなかった。

「ノヴァ、だいじょうぶだから。わたしがいるでしょ」

ノヴァは返事をせずに鼻をすすった。ブリジットといっしょにいられるのはうれしかったけれど、ママにもいてほしかった。

「スーパー・ノヴァ?」ブリジットがひじでノヴァをつつきながらいった。「ノヴァが生まれた日のこと、話したことあったっけ?」

ノヴァは返事をしなかった。ナサベアをぎゅっと抱いて、ブリジットにすりより、目をとじた。

「ねえ、ノヴァ、あなたが生まれたのは一九七三年の七月十九日」ブリジットがささやいた。「あの年のいちばん暑い日だったんだよ。ママは午前中ずっとラジオをつけっぱなしで、ダンスをしてた。ダンスをすると赤ちゃんがはやく生まれてくるんだっていってた。いよいよそのときになると、産院にもっていくバッグをつかんでわたしにたのんだ。ラジオももっていってって。電池もわすれないようにとも。そのころママは、ザーザーいう音なんてきいてなかった。きいてたのは音楽だけ。ママは音楽が大好きだったんだ。わたしとおんなじで」

ノヴァは微笑んだ。ブリジットは音楽をきくのが大好きだし、うたうのも大好きだ。ノヴァはブリジットがうたう歌をきくのが大好きだった。

「あのときはわたしとママだけだった。ノヴァはまだ生まれてなかったし、パパはもういなかった。クリスマスの前に、敵と戦うためにベトナムに送りこまれてたから。でも、ノヴァが生まれる前には帰ってくるって約束してたんだよ。約束したんだから、わたしたちは信じてた。だから、ずっとずっとまちつづけた」

ノヴァはナサベアのヘルメットにキスをした。パパにはあったことがない。でも、まだまっている。

「最初、軍は行方不明だって知らせてきた。そのあとで、戦死したっていってきた。ママは、ときどき人は守れない約束をするといって泣いた。泣いて泣いて泣いた。何日も。それはともかく、ノヴァが生まれた日、わたしたちはまだ、パパは帰ってくるって信じてたんだ」

　ノヴァがもっているパパの写真は一枚だけ。旗の横に立っている写真だ。パパはブリジットによく似ていた。ブリジットが男でおとなになって軍服を着たとしたら、そっくりになるだろう。どちらも丸顔で肩幅がひろく、口元がすこしゆがんだ笑顔だ。

　ノヴァはどちらかというとママ似だ。小さな鼻、華奢な手、ぼさぼさの髪。どれもノヴァの記憶のなかのママだ。たった一枚もっているママの写真に、顔は写っていない。

「はじめてノヴァとあったとき、ノヴァは全身真っ赤で、おこってて、泣きわめいてた。わたしママにきいたんだ。この子、どうしたの？　って。そしたら、ママは腕に抱かれるより、おなかのなかにいる方が居心地がいいのかもしれないねっていいながら笑ってた。わたしは笑わなかったけどね。耳が痛いぐらいうるさかったんだから！」

ブリジットが両手で耳をおさえているところを思いうかべて、ノヴァはにっこり笑った。うるさくて耳が痛くなる感じはよくわかる。

「ママは、生まれたばっかりのノヴァの顔は青かったんだっていってた。赤くなるのはいいことなんだって。名前はどうするのってきいたら、まだ迷ってるっていった」

「オーア」ノヴァはふとんの下で自分の胸をたたきながらいった。

「そうだよ、じょうずにいえたね。ノヴァだよ」

ノヴァはまた笑った。名前をいってじょうずといわれるのはうれしい。むずかしくてうまくいえないけど。

「それから二日たって、家に帰るときになっても、まだ名前はきまってなかったんだ。ママとわたしは、病院のベッドに腰かけて、いっしょにラジオをききながら寝てるあなたを見てた。泣きわめいてるときより、寝てるときの方がずっとかわいかった。ブルース・スプリングスティーンの『都会で聖者になるのはたいへんだ』っていう曲がなってた。ママはね、わたしたちがデヴィッド・ボウイが好きなのとおなじで、ブルースが好きだったんだ。この曲の最初の方に『おれは青く生まれた。くたびれはてて。だけど、スーパー・ノヴァのように爆発した』っていう歌詞があるんだ。青く生まれたってところ、あなたみたいだって思ったときに、ママにたずねられたの。『ねえ、ブリジット、この子の名前どうしようか?』って。わたし、すぐに答えた。『スーパー・ノヴァ』って」

ノヴァはにっこり笑った。宇宙やデヴィッド・ボウイ、ブルース・スプリングスティーン、それに音楽をきいているママのことを考えるのは大好きだ。

「ママは、スーパー・ノヴァは変だっていった。『この子がどんな風にスーパーになるかなんて、わからないでしょ』って。軽い冗談だったんだと思うけど、わたしはいったんだ。『じゃあ、ノヴァでいいんじゃない?』って。ママもそれは気にいった。大好きなブルースの歌からきてるんだしね。かんぺきな名前でしょ。あなたはスーパーなんだよ。あなたはだれにも、どんなものにも傷つけられないし、おとしめられたりしない。それに、だれにもわたしからひきはなしたりすることはできないんだから。だって、あなたはわたしのスーパー・ノヴァなんだから」

ノヴァはブリジットの胸に頭をあずけて、心臓の音をきいていた。自分がスーパーなんだって知ってからは、もうあんまりこわいものはなかった。

ようやくピアース先生とステファニーの話がおわって、ステファニーとノヴァは廊下を歩きはじめた。しばらく歩いてから、ステファニーが話しかけた。

「スーパー・ノヴァっていうのはね、銀河全体のなかでも、いちばん大きな規模の爆発なんだよ。宇宙全体で最大っていってもいいかも。スーパー・ノヴァがひとつ発生すると、まわりの星が全部見えなくなってしまうぐらい明るくかがやくんだ。太陽より明るい星だって、見えなくなっちゃう！　星がいっぱいかがやく星の海で、巨大な花火が打ちあがったみたいに。どうして、そんな爆発がおこるかっていうと、その星の核で、えっと、つまり、まんなかで変化がおこって……」そこでステファニーは駐車場に通じるドアの上にかかった時計にちらっと目をやった。「うわ、たいへんだ！　遅刻しちゃう！　さあ、いそごう」

ステファニーはプラネタリウムへの階段をいそいでのぼった。階段にはクラスのほかの子たちがならんでいた。ステファニーとノヴァは、みんなとはすこしはなれた出口のそばの椅子にすわった。

「ピアース先生から、とちゅうででなくちゃいけなくなったときのためにっていわれてるんだ」ステファニーがそういいわけした。

ノヴァに対して、すごくゆっくり話しかけられたり、すごく大きな声で話しかけられたりするのがいやなのとおなじで、ステファニーは早口すぎて、声も小さいので、もうすこしゆっくり大きな声で話してほしかった。クラスのほかの子たちが席についているあいだ、ステファニーは自分がミドルスクールにいたときにおぼえた天文学のあれやこれやを、すごい早口のうわずった声で話しつづけた。小声でささやかれることばをきいていると、ノヴァはめまいがした。

ノヴァは丸い天井(てんじょう)をじっと見つめた。とつぜん、なんの注意もなくあかりが消えた。ノヴァは椅子(いす)の上でぴょんとはねて、悲鳴をあげ、ナサベアをおとしてしまった。何人かの子がクスクス笑った。ステファニーはナサベアを拾いあげて、ノヴァの手に返した。

このクラスの先生は、部屋のまんなかにすわっていた。とても背(せ)が低くやせた男の先生で、長い灰色(はいいろ)のあごひげがなければ、五年生とまちがわれてしまいそうだ。その先生を見ていると、ノヴァは前にいた里親の家の庭においてあった小人の置物を思い出した。ノヴァはその先生が赤いとんがり帽子(ぼうし)をかぶっているところを想像した。

「やあ、地球人のみんな！　この天文学の授業に、新しい生徒がふたり参加します。ザック・ズボーナク、ノヴァ・ベツィーナ、ようこそ、成層圏に！　さあ、クラスのなかまに手をふって！」

　ザック・ズボーナクは立ちあがると、ピースサインをした両手をあげたあと、深々とお辞儀をした。何人かの男の子はそれを見て笑った。ステファニーにうながされて、ノヴァも立ちあがった。おどおどと片手をふると（バディのように反対むきではなく）、すぐにまたすわった。

「ふたりとも、よくきたね！　わたしはミンディ。さあ、さっそくはじめよう」

　ミンディ先生はプラネタリウムのまんなかにあったライトをつけ、薄暗がりのなかでおおぐま座とこぐま座のことや、先週だした宿題についての授業をすすめた。ノヴァは両手で耳をおおった。まわりの生徒たちが鉛筆で紙に書きつける音をきかないようにだ。ノヴァは自分がネコの爪とぎ柱のなかにとじこめられたような気分だった。なん十匹ものおこったネコが爪をといでいる。

　ようやく、ミンディ先生がライトを消し、べつのスイッチをつけていった。「さあ、星を見よう」

ノヴァの息がのどでつまってしまった。息をするのをわすれないようにいってくれるビリーに、そばにいてほしかった。ノヴァの上、まわり全部に、小さな光がちりばめられていた。最初は遠くにある針の穴ほどだった光は、どんどん大きく、明るくなって、顔のすぐ前にくるぐらいに近づいてきた。ノヴァは片手をあげて、その光が鼻にぶつかる前につかまえようとした。ノヴァとナサベアは、光の速さよりも速く動きまわる星がかがやく宇宙空間をとんでいた。星の動きはとつぜんぴたりととまった。ノヴァは椅子のひじかけにつかまって、体をささえ、大きく息をついた。きっと、月面に着陸するところなんだと思った。

こんな感じははじめてだった。まるで、ノヴァの体のなかの宇宙が、どんどん、どんどんあふれて、つぎつぎに爆発したみたいだ。きっと、宇宙も創世の一瞬前に、こんな風に感じたんじゃないかと思った。どんどん、どんどん熱くなってドカン！　その爆発によって、星々や月、惑星や銀河が形づくられ、宇宙に生命が生まれる。そう、これがブリジットのいっていた「ビッグバン」なんだ。

「すべてのものが存在する瞬間の直前まで、とても密度が濃く、凝縮されていて、いまにも爆発しそうで、崩壊して星を生むか、外へ外へと爆発してすべてを創造するかどちらの可能性もあったんだ。いや、正確にいうとそれは爆発じゃなくて、なんていうか、……すべての誕生の瞬間というか……。いや、これじゃあ、ぜんぜん説明になってないな！」

ノヴァは理解しよう、想像しようと必死になって顔をしかめていた。ノヴァの心を見透かしたブリジットが、こうさけんだような気がした。「想像なんてできないよ、ノヴァ！　何百億年も前のほんの一瞬に、なにもかもが、なにもないところからとつぜん生まれるだなんて！」

ノヴァには想像も理解もできないのかもしれないが、このプラネタリウムのなかでは、感じることができた気がした。自分がつぶれてしまうのか、爆発するのか、その瞬間もわかる気がした。こらえようとしても、こらえきれずにしゃくりあげていた。ドームのなかでまたたく星につつみこまれて、ノヴァの目には涙があふれた。あの太陽系のポスターよりも、あの指輪についたつめたいブルーの石よりも、ずっとずっときれいだ。

「だいじょうぶ？　でたい？」ステファニーのささやきをきいて、ノヴァはびくっとなった。自分がどこにいるのかも、まわりに人がいることもすっかりわすれていたからだ。ノヴァは首を横にふって、自分のこめかみを一、二、三、四回たたき、おちつこうとした。

「ノヴァ？」

ノヴァはまた首をふり、ナサベアを守るように腕でつつみこんだ。そして、となりにブリジットがいるつもりになろうとしてみた。土星の輪が土星からはなれないのとおなじように、いまここからでていくわけにはいかない。

頭の上にも天井全部にも、たくさんの星がぴたっととまってかがやいている。ノヴァがいま見ているのは、街灯が消えたあとに屋根裏部屋のつきあたりの丸い窓から見えていた星々だ。星々はとまったときとおなじようにとつぜん、また動きはじめた。今度は地球儀の上でまわっているように、すべての星が左へとにじみながら動き、最後にはまたピントがあった。

真っ暗な部屋のまんなかのどこかから、ミンディ先生の声がきこえてきた。

「さあ、ここから、先週のつづきだよ」

部屋のまんなかの真上に、いくつかの星を、ほぼまっすぐに結んだ蛍光グリーンの線が見える。

「これはおおぐま座。空が十分に暗くなれば、このあたりでも、ほぼ一年じゅう見ることのできる星座だ。おおぐま座は三番目に大きな星座で……」

ノヴァは先生の声と、星空とに同時に集中することはできなかった。ノヴァはまだほとんど呼吸できない状態だったけれど、パニックはおこしていない。ノヴァはフランシーンがダウリング校長と話していたことばを思い出していた。「圧倒される」だ。いまのこれがそうなんだとノヴァは思った。ノヴァはいま、圧倒されていた。空気を吸いこみ、吐きだしてはいるものの、心臓がいつもの三倍にもふくらんでいるような気がした。寝る前にフランシーンが読んでくれたドクター・スースのグリンチの心臓みたいに。

まわりの生徒たちは、また消えてしまった。ステファニーはいない。ザック・ズボーナクもいない。ミンディ先生も消えた。

ブリジットさえも消えてしまった。

そして、ノヴァは空中をただよっている。

ノヴァはナサベアをぎゅっと抱きしめている。無重力状態でどこかにとんでいってしまいそうだったから。でも、ナサベアはノヴァのように息苦しさは感じていないみたいだ。たぶん、宇宙用のヘルメットのおかげだ。宇宙のどこへいっても、ナサベアは安全だ。

部屋の星々がまた渦巻きはじめた。

「うみへび座だ」どこか遠くから声がする。「いちばん大きな星座で、ギリシャ神話にでてくる頭がたくさんあるヘビのことだ」

ノヴァの頭のなかにはデヴィッド・ボウイの声がきこえていた。

「きょうの星は、いつもとずいぶんちがって見える……」

またもや、ノヴァの目には涙があふれた。ほんの十分ほどのあいだだというのに、もう二度目だ。頭上に流れ星が見えたので、ノヴァは願いをかけた。いま、この部屋のドアが勢いよくあいて、ブリジットがとびこんできますように。ブリジットは一度もプラネタリウムにいったことがない。もし、いったことがあったとしたら、きっとこのデヴィッド・ボウイのことばを口にしただろう。ブリジットぬきで、こんな魔法を経験するのは、なんだかおかしな気分だった。おかしな気分といっても、笑うようなおかしさじゃない。なんだかいやな感じのおかしさだ。ノヴァは顔をしかめ、おなかにさしこむようなおかしな気分に身をよじった。

ノヴァは唇をかんで、ナサベアを強く抱きしめた。痛がるだろうほどに。

「すごいよね？」ステファニーがささやいた。

遠くの声がまたきこえはじめた。あれやこれやの星座の説明だ。ノヴァは耳をふさいで、かわりに『スペイス・オディティ』をきくことにした。

「きょうの星は、いつもとずいぶんちがって見える……」

べつの星座。

星を結ぶべつの蛍光グリーンの線。

またべつの。

またべつの。

遠くからの声が、ノヴァの脳にしのびこむ。「オリオン座、おひつじ座、ふたご座、しし座、こと座……」

あまりにもとつぜん、部屋のまんなかのライトがついた。頭上とまわりにあった星が暗くなった。ノヴァは眉をひそめた。

「来週までの宿題は……」ミンディ先生が話しはじめた。ステファニーが先生のことばを手帳に書きとめているあいだ、ノヴァは先生の声を頭からしめだした。永遠にも思える時間のあと、天文学の先生はまたライトを消した。「授業がおわるまで、あと何分か、ゆったり楽しんで。こいつを……」先生はにっこり笑いながらそういって、そこでことばを切った。尻切れトンボで、ノヴァはとまどった。

「こいつって、なんですか？」何人かの男の子ががまんしきれずにさけんだ。

「ゆったりしてますけど！」べつの男の子がどなった。

「宙ぶらりんはやめてください、ミンディ先生！」三番目の子がいった。

手をあげずにしゃべったらおこられるんじゃないかとノヴァは思った。でも、ミンディ先生はただにこにこ笑いながら、ひげをいじっている。

「さあ、ゆったり楽しんで。ふりそそぐ流星雨を！」

先生はパチンとスイッチをつけた。

ちかちかまたたいたり、明るくなったり暗くなったりしながら、空を横切る無数の流れ星がノヴァとナサベアをつつみこんだ。目のはじっこに、ノヴァは星の王子さまを見たように思った。自分の小惑星に乗った星の王子さまだ。ノヴァはキャーッと声をあげ、椅子の上でとびはねていた。こんなに興奮して、幸せな気分なのは、ブリジットがいなくなってからはじめてで、自分でもおさえられない。

ジョーニーは正しかった。

これはほんとうにすごい。

頭のなかではデヴィッド・ボウイの声がどんどん大きくなっていた。大きすぎてきこえないぐらいだ。

「きょうの星は、いつもとずいぶんちがって見える……」

ブリジットはいっていた。スペースシャトル・チャレンジャーは、希望をもたらしてくれると。

「ねえ、ノヴァ、わかる？　宇宙にいく最初の先生は、だれだって夢をもっていいんだって教えてくれたんだよ！　一生懸命がんばって、強く強く願いつづければ、だれだって、地球からにげだせる。ニューハンプシャー州の社会の先生だってね」

にげだす、というのは、ブリジットにとってとてもだいじなことだった。

「まずは里親の家からにげだそう」ブリジットはしょっちゅういっていた。「それから、ニューハンプシャー州から。そのつぎはアメリカからにげだして、最後は地球からもにげだすんだ。星がかがやく宇宙にね。宇宙にはわたしたちをひきはなすソーシャルワーカーもいない。宇宙ではね、小惑星をよけなくちゃ。ヒツジのおなかはないからね。宇宙にいったら、月にむかおう。宇宙にはラジオがザーザーいう音もないんだよ。ベトナム戦争もエチオピアで飢える子どもも、いじわるな先生や、わたしたちをほしがるふりはするけど、ずっとは育ててくれない里親もいないの！　チャレンジャーがクリスタ・マコーリフを宇宙へつれていったら、わたしたちも想像でいっしょにいこうね。おとなになってほんとうにいくときの、いい練習になると思う。わたしとノヴァ、ナサベアだけで、わたしたちのスペースシャトルで月にいくんだ」

ほかにもうひとつ。ブリジットが考えたこともないようなすばらしいことがある。

音は宇宙空間ではつたわらない。宇宙ではノヴァの脳におそいかかるたえまないキーキーひっかく音はいっさいきこえないということだ。ノヴァが思わず立ちあがってしまったり、悲鳴をあげたり、耳を両手でおおいたくなるあのいやな音なんか。きこえるのは無線でノヴァのヘルメットに直接はいってくる地球管制塔とブリジットからの声だけだ。それと、ノヴァの頭のなかでひびきわたるデヴィッド・ボウイの『スペイス・オディティ』だけ。
鉛筆が立てるネコのひっかくような音はない。暖房の音もない。子どもたちのおしゃべりの声も。

ブリジットとボウイと地球管制塔の声だけ。

ノヴァの目に涙があふれた。Xブロックがはじまってから、もう三回目だ。ノヴァは息をとめ、こめかみを一、二、三、四回たたいたが、ノヴァのまわりじゅうでまたたき、光り、流れる流れ星から目をそらすことができなかった。とつぜん、星々がぴたりと動きをとめ、月が見えてきた。手をのばせばとどきそうな、地球からはけっして見ることのできない近さだ。

でもそれは、あと六日で宇宙にでる最初の先生が、スペースシャトル・チャレンジャーのほかの六人の乗組員といっしょに実際に目にする光景なのだ。

あと六日でブリジットはもどってくる。

カウントダウン❻ 一九八六年一月二十二日

ブリジットへ

チャレンジャーの打ちあげまであと六日。

きょう、プラネタリウムで最初の天文学の授業にでた。

これまでで最高だったよ、ブリジット。なにもかも、ジョーニーがいっていたとおりだった。ナサベアも気にいったって。とちゅうででていきたがらなかったからね。たったひとつだけ残念だったのは、ブリジットがいっしょにいなかったっていうこと。

階段をのぼっているとき、わたしをたすけてくれてる女の子が、わたしの名前がどこからきたのかって話した。でも、ブリジットが話してくれた、どうしてブリジットがこの名前をえらんで、どうして、それがかんぺきなのかっていう話とはちがう。

その人はスーパー・ノヴァについて話した。

スーパー・ノヴァっていうのは、爆発した星のことなんだって。それがわたし。爆発する星。プラネタリウムを見たあと、もう、それ以上、学校のことは考えられなかった。考えられたのは、コンテストで勝ちぬいて、宇宙にいってスーパー・ノヴァを近くで見ながら『スペイス・オディティ』をきいて、星といっしょに笑うってことだけ。

わたしの秘密を話していい？　大きな秘密じゃないよ。キツネの秘密みたいな小さな秘密。

それはね……。

ビリーとフランシーンは、学校から帰ってくるとわたしにテレビを見させてくれるんだけど、ブリジットといっしょにこっそり見ていたのがなつかしいんだ。ベッドからでているところを見つからないように、ふたりで物音ひとつ立てないで夜更かししたのがなつかしいってこと。パジャマ姿で足音を立てないように階段をおりて、ジョニー・カーソンのトゥナイトショーに出演したクリスタ・マコーリフを見たのがなつかしい。ほとんどきこえないぐらい音を小さくしてね。

「宇宙船のシートにすわれることになったなら」クリスタ・マコーリフはジョニー・カーソンにいったよね。「どの席かなんてきいちゃだめ。ただ乗るの」

「そりゃそうだ！」ブリジットはいったよね。おぼえてる？　そう、ブリジットはいったの。「そりゃそうだ！」って。ブリジットは大笑いしたし、わたしも大笑いした。ふたりで大笑いしたせいで、里親のお母さんをおこしちゃって、ベッドにもどされたよね。だけど、さんざんどなられたあとも、わたしたちは大笑いをやめられなかった。ナサベアも大笑いしてた。

わたしたちふたりだけの、あの時間がなつかしい。ふたりだけの秘密がなつかしい。

それと秘密をもうひとつ。

ブリジットの目がどんなだったか思い出したいのに、思い出せないんだ。

ブリジットの目の色も、目の形も思い出せない。

ジョーニーがぼやいてるみたいに、眠いときにはブリジットの目の下にもくまができたかどうかも思い出せない。ビリーがフランシーンをからかっていってるみたいに、笑うとほっぺたに笑いじわができたかどうかも思い出せない。ブリジットの目がわたしの目とおなじなのかちがうのかも思い出せないんだ。

ブリジットがわたしにむかって微笑みかけるとき、目で笑ってた？ ウィンクしたっけ？ まばたきした？ ふざけてやぶにらみにしたとか？ それとも、ぎょろっと目玉を天井にむけた？

学校では、チェンバーズ先生にちゃんと目を見てっていわれる。わたしはそれがいや。いやだけど、チェンバーズ先生の目がどんなだかはおぼえてる。名前を呼ばれるたびに、何度も何度も先生の目を見なくちゃいけないから。平凡な茶色の目で、眉毛にとどくぐらい、まぶたにべったりとアザミ色のアイシャドーをぬっている。すごく変だ。わたしはあんまり長く見ないようにしている。

きょうの晩ごはんのとき、わたしはビリーとフランシーンの目を見た。ふたりがわたしを見ていないときにこっそりと。わたしを見ているときにはぜったい見ない。ふたりがジョーニーの方を見ていたり、食べ物を見ているときにチェックした。ふたりの目はチェンバーズ先生の目よりずっと好き。

フランシーンの目はミッドナイトブルー。太陽が沈むときの海のいちばん深いところの色。

ほら、ブリジットが遠くまで泳いでいったとき、自分の足は見えないけど、そこに足があるってことはわかってて、サンゴや岩や砂やサメ、魚やクジラの上の水をちゃんと立ち泳ぎできる、池の水みたいににごってなくて、お風呂の水のように透明でもない、濃い夜の海の色。

ビリーの目の色はローアンバー。わたしが好きなタイプの泥の色。雨がふったあとの森で遊んでいるときにであう、にぎると指のあいだからニューッとでてくるような泥の色。いちばん暑い夏の日でも冷蔵庫のつめたさを感じる、木の枝や葉っぱ、芋虫なんかがまじっていないきれいな泥の色。かんぺきな深いローアンバー。

ビリーとフランシーンは目で笑う。ウィンクやまばたきはするけど、ふざけてるときのアレックスみたいに、やぶにらみにはしないし、こまったときのマロリーみたいに、目玉をぎょろっと天井にむけたりもしない。ビリーはいつもメガネをかけている。フランシーンはけっしてアザミ色のアイシャドーをつけたりはしない。

ふたりはわたしにちゃんと目を見なさいとはいわないけど、きょうは自分から見た。きょうはみんなの目を見た。

アレックスの目はコーンフラワーブルー。赤ちゃんの毛布の青むらさき。

マロリーの目はフォレストグリーン。クリスマスツリーの緑。

ジョーニーの目はローシエナ。ふわふわウサギの茶色。

フランシーンの目はミッドナイトブルーで、ビリーの目はローアンバー。

わたしは鏡も見たんだよ、ブリジット。すごく長い時間。

わたしの目はセピア。丸太小屋の丸太の茶色。

ブリジットの目が思い出せないとき、わたしは『星の王子さま』をしまっているベッドサイドテーブルをあける。『星の王子さま』の下に、ブリジットの写真のフォルダーがある。写真は五枚。一枚はビーチでひとりで写ってる写真。一枚は映画にいったあの男の子といっしょの写真。もう一枚はブリジットと高校の友だちの写真。そして、のこりの二枚はわたしとブリジットの写真。ビーチの写真と高校の友だちとの写真のブリジットはサングラスをかけている。男の子との写真はふたりとも野球帽をかぶってる。わたしと写った写真のうち、去年とったのは目をつぶってる。笑ってるから。

最後の五枚目はママの家でとった写真。ブリジットはソファにすわって、青い毛布にくるまれた赤ん坊のわたしを抱っこしてる。カールがかかった髪をおさげにして、歯が欠けた笑顔だ。

この写真をとったのがだれなのかはわからないけど、ママじゃないのはたしかだ。ママはソファの前でカメラに背中をむけてひざまずいているから。ママはブリジットがわたしをおとすんじゃないかと心配しているみたいに、片手でわたしをささえてる。ブリジットはけっしてわたしをおとしたりしないから、そんな心配はしなくていいのに。

わたしはこの写真が大好き。でも、古くて黄ばんでいて、お日さまにあてすぎたみたいに色があせていて、ブリジットの目の色はやっぱりわからない。

ねえ、ブリジット、目は何色なの？

わたしとおなじ？

わたしはどうしても見たい。どうしても知りたい。

はやくあいたいよ。

スーパー・ノヴァより愛をこめて

6

午後の授業で、オライリー先生からびっくりするような発表があった。

「ダウリング校長のはからいで、スペースシャトル・チャレンジャーの打ちあげを、みなさんは学校で見られることになりました！」

ノヴァは椅子の上で、ビクンとなった。チェンバーズ先生が、よかったねというようにノヴァに笑顔を見せた。

「七年生と八年生は講堂で、六年生は教室で見ます。ＣＮＮが全国の子どもにむけて放送する番組を見るんだよ。だれか、チャレンジャーの特別なところを話してくれる人は？」

ノヴァは身をよじりながら、キーキーと声をあげた。そして、手をあげた。生徒のだれかが、手をあげずに答えを大声でいったとき、オライリー先生はいつもちゃんと手をあげるようにというからだ。先生はノヴァの手に気づいてうなずいたけれど、さしたのはいちばん前の列のちぢれ毛の女の子だった。

「ジュリア」

「NASAとレーガン大統領は、チャレンジャーで授業をする宇宙で最初の先生をえらぶための大きなコンクールをひらきました」

「そう、そのとおり！」オライリー先生はジュリアとハイタッチした。「その優勝した先生がどこの州の人か知ってる人は？」

ノヴァは両手をあげた。でも、ザック・ズボーナクが片手もあげずに、大声で答えをいってしまった。

「ここだよ！　ニューハンプシャー州！」

「そうだね、ザック！　でも、ちゃんと手をあげなくちゃだめだ」

「最初に宇宙にいったのはだれですか？」最前列のジュリアがいった。「バズ・オルドリンですか？」

ロシア人！　ノヴァはそうさけびたかった。最初に宇宙にいったのは、ロシア人のユーリー・ガガーリンだよ！

「ガーガーガーガー！」ノヴァはうまく発音できなくて、そう大声でいった。それから、宇宙にいった最初のアメリカ人はアラン・シェパードで、その人もニューハンプシャー州の出身だとつけたしたかった。クリスタ・マコーリフとおんなじで。「ヌーハー！　ムン！」

「ノヴァ、静かにしてちょうだい。ちょっと声が大きすぎるわよ」チェンバーズ先生がやさしくいった。ノヴァはまわりを見た。教室のみんながじろじろとノヴァを見ていた。マロリーもメアリーベスもだ。

「みんな、こっちを見てください！」オライリー先生がいった。「最初に宇宙にいった国はどこでしょう？」先生はうしろの方の背の高い男の子をさした。「どうだい、ウィンズロー？」

「えっと、……アメリカかな？」

ノヴァはうめき声をあげて、両手でピシャリと机をたたいた。どうして、オライリー先生はわたしをあててくれないの？　アメリカじゃないって知ってるのに。

「残念！　数週間の差で、ロシアが先だったんだ。そのときの宇宙飛行士の名前は、ユーリー・ガガーリンだ。さあ、ノートに書いて」

マロリーやメアリーベス、それから、そのほかの自分で字を書ける子たちは鉛筆を手にとった。

「それじゃあ、スペースシャトルがどうやって打ちあげられるか知ってる人は？」

「アー、アー、アー、ムン！」ノヴァはさけんだ。立ちあがって片手をあげ、反対の手で一、二、三、四回机をたたいた。スペースシャトルの打ちあげについては、ブリジットからなにもかも教えてもらった。機体の底から燃料を強くはげしくものすごい勢いで噴射して、その反作用で機体を宇宙の軌道までもちあげる。打ちあげはロケットのようだけれど、着陸は飛行機のようだ。

「気持ちはわかるわよ、ノヴァ」チェンバーズ先生がノヴァの腕をひきながらささやいた。「興奮する気持ちはよくわかるけど、静かにしなくちゃ。それにハッピー・ハンドをわすれないで、そうじゃないと、教室からつれだされなくちゃいけなくなるの」

ノヴァは腰をおろし、両手をぎゅっとにぎり、声をだすのもやめた。オライリー先生は、ノヴァがすでに知っていることを、延々と話しつづけている。なにもかもブリジットに教えてもらった。ブリジットは何年にもわたって、こつこつと図書館の本をコピーして、それを家にもち帰ってくれた。ブリジットのお気にいりは惑星と恒星の話題だった。

「ねえ、ノヴァ」ブリジットは自分のノートを見ながらいったことがあった。「わたしたちが見ている星のなかのいくつかは、もう何年も前に燃えつきてしまっているかもしれないんだよ。地球にいちばん近い恒星でも、その光がわたしたちの目にとどくまで四年はかかるんだ。だから、どの星がいまはもうないかどうかなんて、わたしたちにはわからないんだよ。だからね、星に願いをかけるときには、念のために三つの星にとなえるんだよ。いまはもうない星に願いをかけたってむだになっちゃうからね」

ノヴァは目をつぶって、おでこを机にくっつけた。オライリー先生は宇宙旅行についての質問と答えを話しつづけている。ノヴァは、そのどれも知っていた。

けれども、だれもノヴァにはきいてくれない。

★ ★ ★

「きょうはなにをもってきたと思う？　さあ、見て！」ブリジットは以前、里親のお母さんからもらったファイルフォルダーをひらいていった。ふたりは、いちばんあたたかいパジャマを着て、部屋の床にすわり、熱いココアを飲んでいた。十二月のはじめの火曜日のお昼だけれど、季節はずれの吹雪で学校は休みになった。ノヴァは十歳、ブリジットは高校二年生だった。そして、ふたりは新しい里親の家にきたばかりだった。またしてもだ。

「ほんとうはきのう見せてあげるつもりだったんだけど、きのうは午後ずっとスティールさんがいたから、すっかりわすれてたんだ」

「ビジェ!」ノヴァはテレビのコマーシャルで見たうっかりさんのしぐさをまねして、自分のおでこをピシャッとたたいた。ブリジットは笑った。ブリジットは自分のうっかり癖をからかわれても、ぜんぜん気にしない。

「ほんとだよ、ごめんごめん!」ブリジットはフォルダーをノヴァのひざの上においた。「これはね、サリー・ライドだよ。わたしのヒーロー」そこには高級そうな雑誌のグラビアページがあった。背の低い、カールした黒髪の女の人が写っている。黒いシャツの胸にはNASAのロゴがついていた。ナサベアの宇宙服とおなじように。その人はヘッドホンをつけて、スペースシャトルのなかをふわふわただよっている。にっこり微笑みながら。

「サリー・ライドのことはおぼえてるでしょ? 六月に宇宙にとびだしたんだよ。宇宙にいった最初のアメリカの女の人で、来年もどってくる! わたしの物理の先生がこの記事をくれたんだ。記者はくだらない質問ばっかりしてる。女だからってバカにしてるんだね。なにかうまくいかなかったときは泣くんですか？　とか、宇宙旅行にはどんな化粧品をもっていくんですか？　とかね。信じられる？　このインタビューのなかで、この人は子どものころからとれるだけの科学の授業をとってたんだっていってる。だからね、わたしもそうする。ノヴァもね。かんたんなことじゃなかったんだって。サリー・ライドは女子高に通ってたんだけど、その学校は数学や化学、物理とかの理系の勉強にはあまり力をいれてなかったから、独学で勉強しつづけたんだよ。大学を卒業すると、大学院で修士号をとって、そのあと、博士にもなった。どうしてだと思う？　宇宙飛行士になるには、ただぼーっとまっててもだめだからだよ、ノヴァ。なりたいと強く願って、そのために一生懸命勉強しなくちゃいけないんだ」

　ブリジットは宇宙飛行士になりたいと強く願って、そのために一生懸命勉強していた。

　ノヴァもおなじようにしたいと願っていた。

「ノヴァ？　ねえ、ノヴァったら！」ノヴァの思い出をじゃましたのはマロリーの声だった。

「なにぼんやりしてるの？　ノヴァの番だよ。ほら、サイコロをふって！」

ノヴァは一、二、三、四回首を横にふった。みんなとなにをしていたのかわすれていた。ボードゲームをしていたんだった。

「ほら！」マロリーはノヴァの手をとると、いまやっている「シュート・アンド・ラダー」というゲームで、つぎの動きを指示するサイコロをにぎらせた。バディもメアリーベスもアレックスもじっとまっている。ノヴァはマロリーの手をふりはらってサイコロをふった。たとえマロリーの手でも、自分の手にさわられるのは好きじゃない。ノヴァは自分の駒（こま）をもって、指示どおり四マス進めた。

「やったね、九のマスだよ！　はしごをのぼっていいんだよ」マロリーがいった。

「トップにおどりでた！」アレックスがさけんだ。「ノヴァが勝ちそうだね」

ノヴァはにっこり笑った。

ゲームで勝つのは大好きだ。

でも、自分の番じゃなくなると、ノヴァはすぐにブリジットとの思い出にもどった。

カウントダウン5　一九八六年一月二十三日

ブリジットへ

チャレンジャーの打ちあげまであと五日。

きょうの午後の学校はよかった。でも、わるくなって、またよくなった。

最初のよかったことはオライリー先生の授業のとき。チャレンジャーの打ちあげを教室のテレビで見ることになったって教えてくれた。見のがす心配はなくなったってこと。

わるかったことは、先生が宇宙(うちゅう)についての質問をしたとき、わたしに答えさせてくれなかったっていうこと。おとなしく、じっとして手も動かさないで、ただきいていなさいっていわれた。ずるいよ！

ねえ、ブリジット、打ちあげを見にくるとき、オライリー先生とチェンバーズ先生にいってほしいんだ。わたしがどんなにかしこいのかって。そしたら、オライリー先生はわたしをあててくれるようになるだろうし、チェンバーズ先生は「静かにしてちょうだい」とはいわなくなると思う。

そのあとは、またよくなった。わたしはマロリーとアレックス、バディとメアリーベスとで、「シュート・アンド・ラダー」をやった。それでね、わたしが勝ったんだよ！　最初に百マス目についたんだから。二位は九十九マス目にいたマロリーだった。アレックスが九十九たす一は百だっていってたから一マス差だったっていうことだ。わたしが百マス目につくと、マロリーはきたないことばを吐いて、自分の駒をほうりなげ、ゲームボードを床におっことした。チェンバーズ先生がマロリーをすわらせたんだけど、今度は足をドンドン踏みならして、自分の机の横にぶらさがっていた教室での約束が書かれた紙をビリビリ破いてしまった。マロリーは負けるのが大きらいなんだと、メアリーベスが教えてくれた。でも、マロリーはいつのまにかおこるのをやめたみたいだった。しばらくすると、わたしとバディに粘土遊びをしようって、さそってきたから。

　ぴょんぴょんはねていないときのバディは、粘土で顔の部品を作るのが好きだ。ミスター・ポテトヘッドみたいに顔の部品をべつべつに作って、それを自分の顔にくっつけて遊ぶ。きょうはまっすぐな青い眉毛を作って、自分のおでこにくっつけてた。両方の眉毛がまんなかでつながりそうなぐらいくっついていて、はじにいくほどあがっているので、おこっているみたいに見えた。バディは思いっきり顔をしかめて、顔の前に立てた人差し指を左右にふった。まるで、助手の男の先生が、いうことをきかない生徒に十回目の注意をしているみたいに。マロリーが鼻をならして笑った。

「あれ？　マローン先生じゃない！」マロリーはいった。「いつからいたんですか？」

バディは声をあげて笑って、顔から粘土をとって自分の前にまるめておいた。バディはマロリーの手を軽くたたきながら、マロリーの顔を指さした。

「いいよ、わたしの番ね。さあ、わたしはだれだ？」マロリーは黄色い粘土で口ひげとあごひげをつけた。「きょうの、みんなは、特別に、すてきに、見えるね、特別、クラスの、みんな！」

わたしは大笑いした。それがだれなのか、すぐにわかったからだ。ダウリング校長だ。いつも、ひとことひとこと区切るように話すんだ。

「つぎはノヴァだよ」マロリーがわたしにみどりの粘土のかたまりを手わたした。でも、だれをやったらいいのかわからなかった。すると、バディがわたしの手から粘土をとって、輪をふたつ作った。輪のまんなかを棒でつなぐと、それをわたしの目のまわりにおしつけた。

「メガネだね」マロリーがいった。「チェンバーズ先生なんじゃない？」

それでひとつ思いついた。わたしはバディの片手をつかんで、その手を大きくふらせた。チェンバーズ先生が最初の日にわたしにむかってしたみたいに。それから、バディに「ブルーにさわって」といった。だけど、バディにはわからなかったと思う。わたしの口からでたことばは「ブー、さて」としかきこえなかったから。

「ブー！」バディはそういった。それから、まるめた青い粘土をつぶして大笑いした。

「チェンバーズ先生そっくりだよ！」マロリーがいった。「あんたっておもしろいのね、ノヴァ！」

そのあと、フランシーンがわたしを迎えにきた。

家では、ビリーがいつもよりはやく仕事から帰ってきて、わたしとジョーニーにいっしょにクッキーを作ろうってさそった。ジョーニーは大学の勉強でいそがしいからといってことわった。だけど、わたしはクッキーを作るのは大好き！ ビリーはクッキーを焼くのがすごくじょうずだった。ママみたいに。

「父さんはね、自分のレストランじゃ、クッキーなんか焼かないんだよ」ジョーニーはいった。

「シェフたちがおしゃれなカタツムリ料理やアヒルのパテを作るのを見守ってるだけなんだから！」

わたしはべえっと舌をだした。ビリーのレストランにはまだいったことがない。フランシーンは、とてもおしゃれで、すごくにぎわっているお店だっていっていたけど、カタツムリやアヒルの料理がでてくるんなら、わたしはいきたくない！

「父さんのレストランはね、地域(ちいき)の市民団体と協力して、ダウン症(しょう)や自閉症(じへいしょう)の人が働くのをたすけてるんだよ」ジョーニーがいった。「すごくすてきなお店なんだ。それにね、あそこのマッシュルーム・リゾットは……」そういって、両手の親指を立てた。

わたしはまた舌をつきだした。だって、マッシュルームは地面にはえているもので、お皿になんかのっちゃだめだ。そのあと、ジョーニーは勉強にもどって、ビリーはクッキー作りにもどった。

「ねえ、ノヴァ、たまごを割(わ)ってくれないかな？」たまごの出番になるとビリーがそういった。

わたしはやってみた。

でも、うまくいかなかった。黄身がつぶれて、ボウルに殻(から)もはいってしまった。泣きそうになったので、親指と人差し指のあいだをかんでがまんした。

「だいじょうぶだよ！」ビリーがわたしの手を口からはなした。ビリーは大きな殻をつかって、小さな殻をとりだした。「ぼくが教えてあげるね。練習すればうまくなるさ！」

ビリーはわたしの片手をつつみこむように手を重ね、ボウルのふちでたまごの殻に線をひくようにコツコツとたまごを打ちつけた。それから、両手をわたしの手に重ね、たまごをふたつに割って、殻をいれずに黄身と白身だけがボウルにおちるように手伝ってくれた。そのつぎは、わたしひとりでやらせてくれた。今度はうまくいった。殻はボウルにはいらなかった。

つぎにビリーはミキサーをつかって見せてくれた。その器械は大きな音をだすところはきらいだけど、銀色の泡立て器がすごい勢いでぐるぐるまわるところは好きだ。

チョコチップ以外の材料を全部まぜおわると、ビリーはクッキー生地を生のまま味見させてくれた。フランシーンはそんなことはさせてくれないので、フランシーンがキッチンにいないときにだ。ビリーはちらっとジョーニーを見た。

「心配しないで。告げ口なんかしないから！」テーブルにむかってたいくつそうな本を読んだり、ノートに書きこみをしたり、ニンジンをかじったりしていたジョーニーがいった。「わたしもむかしは食べたけど、なるべく健康的なものを食べるようにしてるんだ」

「そうだね」ビリーはいった。「母さんにきかれたら、ぼくもそうしてるっていうさ」それから、生のクッキー生地をたっぷり口にいれた。

ママが生のクッキー生地を食べさせてくれたかどうか、おぼえていない。でも、ブリジットが学校にいってるときに、いっしょにクッキーを焼いたのはおぼえている。ブラウニーを作ったこともあったし、ホールのチョコレートケーキを作ったこともあった。砂糖で白くアイシングをかけて、ピンクの花ものせた。椅子の上に立っていたのをおぼえてるし、木のスプーンもおぼえてる。ママがラジオにあわせてうたっているのや、わたしのことを「特別な子」と呼んだのもおぼえてる。わたしが小麦粉を一袋分全部床にこぼしてしまって、泣きだしたら、ママは笑って、床にちらばった小麦粉にハートの絵をいっぱい描いたのもおぼえてる。あのときは、学校から帰ってきたブリジットが掃除をしてくれたよね。まるでブリジットがママで、ママがわたしのお姉ちゃんみたいだった。

こんなこと、ずっと長いあいだ、すっかりわすれていた。

ブリジットも、ビリーとわたしといっしょにクッキーを焼いてほしいよ。

わたしがビリーといっしょにクッキーを焼いてもいいでしょ?

クッキーをオーブンで焼いているあいだ、わたしは自分の部屋にあがって、古い宇宙飛行士のおもちゃを見つけ、ナサベアを抱きあげた。そして、ブリジットのテープとウォークマンをもって、屋根裏部屋にいった。

このテープのB面は、ブリジットがマイケル・ジャクソンやマドンナの新しい曲をつぎつぎに上から重ねて録音してしまったけれど、A面はずっとおなじままだったのはすごくうれしい。わたしはいつもおなじなのが好き。つぎの曲がなんなのかわかっているのが好きなんだ。このテープのA面をきいていると、いやなこともわすれられる。

わたしはテープを最初のところまで巻きもどして、プレイボタンをおした。デヴィッド・ボウイの『スペイス・オディティ』がはじまる。トム少佐がおくさんを地球にのこして宇宙を旅するところをききたかった。ひざにのっけたナサベアは地球管制官で、宇宙飛行士の人形はトム少佐のつもりになって、カウントダウンがはじまるのをまつ。わたしは目をとじて、その場にいるところを想像した。ママがいないさびしさをわすれるために、ブリジットが教えてくれたとおりにしたんだ。

だけど、ウォークマンが動かない。

わたしは泣きだしてしまった。

ブリジットがいなくなってから、わたしはもう何回も泣いた。ブリジットみたいに強くなりたいけど、わたしはブリジットとはちがう。だからわたしは、床にすわったまま泣いた。どうしたらいいのかわからない。そのとき、ドアがあいて、天井のあかりがついた。ジョーニーがいた。

「ノヴァ！　あなたをさがしに部屋にいったのにいないんだもん！　屋根裏部屋のドアをあけたら泣き声がきこえたから。だいじょうぶ？　どこか痛いの？」

わたしはウォークマンをもちあげた。

「おとしちゃった？　こわれたの？」ジョーニーがわたしの横に足を組んですわった。「こわれてるわけじゃないみたいだね」ジョーニーはふたをあけてなかのテープを調べた。「こっちもだいじょうぶみたい」

わたしは首を横にふった。ぜんぜん、だいじょうぶじゃないよ。

「それも見ていい？」ジョーニーはヘッドホンに手をのばした。手わたすと、ジョーニーは自分の耳にあててプレイボタンをおした。
「音がしないね。たぶん電池だよ。ほら、泣かないで！　電池ならわたしの部屋にあるから。さあ、下におりよう」

わたしはジョーニーのあとについて部屋にいった。ジョーニーの部屋は……ピンクだった！

いろんな色あいのピンク。

壁はサーモンピンク。ベッドカバーはマルベリーとマゼンタ。カーテンは蛍光ピンクでカーペットはうすいピンクだ。あらゆる色あいのピンクのなかに立っていると、綿あめの妖精の国にいるみたいな気分になって、おなかがもぞもぞした。最後のハロウィンから、わたしは一度も綿あめを食べていない。

「ほら、あったよ！」ジョーニーは新しい電池をふたつウォークマンにいれてふたをしめ、わたしに手わたした。「新品同様だよ！」

わたしは「アー」といった。「ありがとう」のつもりだ。それから、また屋根裏部屋にもどった。でも、もうトム少佐のことは考えていなかった。わたしはあのときのハロウィンのことを考えていた。

ブリジットはわたしをトリック・オア・トリートをしにつれていってくれるといった。

だけど、それは嘘だった。

ブリジットが里親に嘘をついたのはあれがはじめてではなかった。だけど、ブリジットがわたしに嘘をついたのは、あれがはじめてだった。

わたしたちは、かわりに、あの男の子の家であったパーティーにいった。里親の両親はいつも「パーティーはだめ!」「男の子はだめ!」っていってたけど。

わたしたちの仮装はブリジットが作った。ブリジットはヘッドバンドにとがった耳をくっつけたのと、白と茶色の縞模様のふわふわしっぽだった。わたしのはミントグリーンのジャンプスーツに黄色いスカーフ。

ブリジットは男の子の家のドアをノックした。わたしはピローケースの口をひらいてさしだした。キャンディがほしかったから。

ドアをあけた男の子はにんまり笑った。するどい歯がいっぱいはえていた。男の子はキャンディのはいったボウルをもっていなかった。ハロウィンのときにはだれもがもっているのに。

でも、仮装はしていた。真っ黒な長いマントをはおっていて、顔を白くぬって、口のはしっこから赤いしずくがたれていた。ブリジットはキャーッとさけんで、ぴょんとあとずさりした。

「うわー！　ほら見てよ、ノヴァ。吸血鬼だよ！」

男の子は笑いながら歯をはずした。わたしはそれを見て、うしろむきにとんだ。歯があんな風にとれるなんて。男の子はそれをわたしに見せてくれた。

「にせものの牙だ。どうだい？」

ブリジットはいった。「ノヴァは気にいったみたい。すごいって思ってる」

また嘘だ。

わたしは気にいってなんかいなかった。気持ちわるいと思った。それから、ブリジットはわたしたちの仮装をどう思うかたずねた。

「おまえはネコだろ。それで、こっちは……妖精か？」

わたしは頭にきた。ドアをあけてキャンディをもらえなかったときよりも。

「わたしはキツネで、この子は星の王子さまだよ。あんたもたまには本を読んだら？」

「こんなキツネっぽいキツネ、見たことないよ」男の子はそういってブリジットをハグした。

「さあ、はいれよ。みんなきてるぞ」

わたしたちはキッチンにいった。そこにはニワトリやバットマンにワンダーウーマン、ミニスカートのネコが二匹とプロレスラーがぎゅうぎゅうづめになっていた。テーブルにはキャンディがはいったボウルがあったけれど、だれもキャンディをとる前に「トリック・オア・トリート！」とはいわない。

「ほら、あれを見ろよ！」あの男の子が部屋のすみにある機械を指さした。「レンタルで借りたんだ。綿あめを作る機械だ！　すごいだろ！」

「すごいよ！」ブリジットはいった。「ね、ノヴァ？」

わたしは胸の前で腕組みして、返事をしなかった。

すると、ブリジットは、いい子にしなさいっていったから、わたしは「ムン」といった。ブリジットは「ありがと」といったけど、わたしはイエスといったわけじゃない。おこってるっていったつもりだ。わたしはおこってた。トリック・オア・トリート！　をしたかったのにできなかったから、おこってた。ブリジットが嘘をついたからおこってた。わたしはパーティーのあいだじゅう、ずっとおこってた。綿あめを食べてるときでさえおこってた。わたしはおなかが痛くなるまで綿あめを食べた。

でも、ほかのみんなが帰ってしまったあと、ブリジットと男の子が話しているのがきこえた。男の子はいった。「ノヴァをつれて歩くのは、たいへんだろ？　この子ぬきで大学にいくのは楽しいと思わないか？」

ブリジットはいった。「いかないよ。この子ぬきでは、どこにもいかない。大学だってね」

男の子は笑った。「まじかよ。いつだって、あの家からぬけだしたい、この町からぬけだしたいっていってるじゃないか。おまえが十八になっても、この子をつれてでていくのを許してもらえないんだよな。おまえだって、それはわかってるんだろ？」

そしたら、ブリジットはいったんだ。「だれがなんといっても関係ない。わたしはノヴァを月にだってつれていく」

そのとき、とつぜんわたしはもうおこっていなかった。

あいたいよ、ブリジット。

スーパー・ノヴァより愛をこめて

7

　金曜日のはじまりは、木曜日とも水曜日とも火曜日とも月曜日ともおなじだった。ノヴァは半分上の空でピアース先生のテストを受けていた。教室の雑音やノヴァの頭のなかでなっている音に負けないように、先生の声をちゃんときこうとがんばった。でも、それはかんたんではなかった。あんまり、うまくいかなかった。できるだけがんばって、ベストの結果をだすようにとフランシーンにいわれていたけれど、実際には無理だった。

　もし、最悪の結果をだしたらどうなるんだろうと思った。そもそも、ちゃんとテストを受けなかったら？　フランシーンとビリーは、養護施設にもどしてしまうだろうか？　ブリジットが学校でいい子でいるのをやめて、学校の規則も成績もどうでもいいと宣言したとき、そのときの里親は施設に帰すとおどした。これ以上、めんどうを見切れないといった。ブリジットがにげだしたかったのは、そのせいだ。

「しばらくのあいだ、わたしたちははなればなれになるかもしれないんだ、ノヴァ」ブリジットはいった。「また、はなればなれにされるかもしれない。でも、もしそうなっても、わたしはかならずもどってくる。チャレンジャーの打ちあげまでにはもどってくるから、予定どおり、いっしょに見られるよ。なにがあってもだいじょうぶ。約束するから」

ほぼ丸一年前、はじめてふたりがばらばらにされたとき、ノヴァはすごくおびえた。それまで、ノヴァとブリジットは、たったの一晩でも、ほんの一時でもはなればなれになったことはなかった。なのにとつぜん、ノヴァは特別支援が必要な子どもたちのグループホームにいれられ、ブリジットはどこかべつの場所にいってしまった。それがどうしてなのか、いつまでつづくのか、ノヴァにはだれも教えてくれなかった。
毎晩、消灯時間のあと、ノヴァはベッドをぬけだして窓辺にいき、いちばん明るい星を三つ見つけて、ブリジットがはやく迎えにきてくれますようにと願った。バレンタインデーの前か

らイースターのあとまで、長い時間がかかったけれど、ノヴァの願いはかなった。

それはある火曜日の午後のことだった。ソーシャルワーカーのスティールさんが、学校にノヴァを迎えにきた。スティールさんは先生とほんの二、三分話したあと、ノヴァの方をむいていった。「びっくりさせることがあるのよ！」

学校をでて、スティールさんのウッドパネルのステーションワゴンにむかうと、後部座席に満面の笑みをうかべたブリジットがいた。ノヴァはぴょんぴょんとびはねながらキャーキャーいって、ブリジットのとなりに乗りこんだ。何度も何度もハグしあったあと、ブリジットはもう二度とはなればなれにはならないと約束した。

スティールさんは新しい家まで長い時間運転した。新しい家には熱々のオートミールとあたたかい毛布、二組の二段ベッドがまっていた。新しい家には、ほかにも女の子が何人かいた。大きな音で音楽をきくのは禁止され、テレビも見せてもらえなかったし、カフェインのはいった飲み物も飲んじゃいけなかった。

でも、ノヴァは、そんなバカバカしいルールなんかぜんぜん気にならなかった。ブリジットがもどってきてくれて、ただただうれしかった。

「ねえ、ノヴァ、またいっしょになれるって信じてたでしょ？」ブリジットは最初の夜、ベッドにはいる前にきいた。「そんなにこわくなかったよね？　わたしがなんとかするって、わかってたよね？」

「ムン！」ノヴァはリュックからナサベアをひっぱりだし、ブリジットに手わたしながら答えた。

「この子にもあいたかった」ブリジットはやわらかいプラスチックのヘルメットにキスした。

「この子は、わたしが三歳になったとき、ママからもらったんだって、知ってるよね。それって、この子はノヴァよりも年上だってことなんだよ！」

「ナーベーア」ノヴァはナサベアの前足で、ブリジットの手を軽くたたいた。ノヴァはブリジットに、ナサベアもさびしがっていたことをつたえたかった。

「あいつら、ノヴァをグループホームにいれるなんて信じられないよ。わたしもそうだったんだけどね。わたしのはティーンのためのグループホームだったんだ」ブリジットはほかのベッドに寝ているほかの女の子たちにきこえないように声をおとしていった。「あの、くされスティールのやつ、一時的なもので、ふたりをいっしょに受けいれてくれる里親が見つかるまでだっていってたけど、これからは、二度とあんなことにならないようにするから。オーケー？」

「ケイケイ」

「オー、ケーだよ」

「オー、ケー」

「わたしは本気だから」ブリジットはノヴァの手を両手でつつみこんでいった。ノヴァはひきぬこうとはしなかった。「たとえ、べつの州、いや、べつの国……べつの星にひきはなされたって、わたしはどんなことをしてでも、ノヴァを見つけだすから。約束する」

そのときになってはじめて、ノヴァはブリジットへの手紙の送り先を知らないのに、ブリジットはどうやって自分の場所を見つけだすんだろうと思いあたった。もやもやとしたいやな気分が胸にひろがった。明るい星を三つ見つけて、ブリジットはもうフランシーンとビリーのことを知っていますように、と願わなきゃと思った。
でも、ビリーとフランシーンのことを知っていたとしても、打ちあげの前に、スティールさんにまたべつの家につれていかれたらどうする？　もし、ビリーとフランシーンがテストでべ

ストをつくさない子はいらないと思ったら？　これ以上、めんどうを見切れないと思ったら？　もし、ブリジットがジェファーソン・ミドルスクールにやってきたとき、ノヴァがもういなかったらどうなる？　ノヴァは唇を強くかんで、一、二、三、四回頭を横にふった。そして、いまピアース先生がなにをいっているのかに集中しようと必死になった。でも、涙で目が痛くて、積みあげるようにいわれている積木もよく見えない。

そのあと、オライリー先生の授業中、ノヴァとメアリーベスはアメリカの地図に色をぬっていた。ほかの子たちはロシアの鉄のカーテンについて話している。そのあと、女の子たちは全員アヒルのひなみたいに一列になって家庭科教室にむかい、男の子たちは木工教室にむかった。

「みなさん、よくきたね！」家庭科の先生は、みんなを教室に招きいれた。ノヴァはその先生をひと目で気にいった。まほうつかいのノナばあさんみたいだったからだ。絵本にでてくる背が低くてぽっちゃりしていて、髪はグレーで、長いエプロンをつけていて、大きな鼻に、びっくりするほど胸の大きなおばあさんだ。ノヴァは思わず自分のぺちゃんこの胸を見おろし、わたしもブリジットみたいに、ミドルスクールにいるあいだに、ふくらむんだろうかと思った。ノヴァは胸に両手をあててみたけれど、ふくらみはじめるきざしはぜんぜんなかった。

「ノヴァ！　オーバーオールから手をだしなさい！」チェンバーズ先生がぴしゃりといった。すぐそばに立っていたふたりの女の子が、こらえきれずにクスクス笑っている。ひとりがノヴァを指さし、手で口元をかくしながらとなりの子になにかささやいている。

ノヴァは胸から手をはなした。なにがなんだかわからなくて、混乱した。ノヴァは自分の手のひらで、一、二、三、四回こめかみのあたりをたたいて、いやな気分をおいだそうとした。でも、うまくいかない。あの子たちはなにを笑っているんだろう？　チェンバーズ先生はどうしておこっているんだろう？

「あの子たち、ほんとうにいじわるなんだから」マロリーはかすれた声でそういってメガネをずりあげ、その女の子たちをにらみつけた。「前の学期には、あの子たちのひとりが体育の時間に足をひっかけてメアリーベスをころばせたんだよ。その子は、ただの事故だっていったけど、そんなの嘘だ。わざとやってた」

「きょうはチョコチップクッキーを作りましょうね！」ノナばあさん似の先生が、パンパンと手をたたきながらいった。「材料は用意してありますよ」

チェンバーズ先生はマロリーとメアリーベス、ノヴァの方に微笑みかけた。ノヴァは微笑み返した。クッキーならわたしも作れる！　たまごだって割れる！　生地を生のまま、食べさせてもらえるだろうかと思った。

十三人の女の子が三つのグループにわけられて、三つの作業台にわかれた。作業台にはそれぞれオーブンが二台あって、ふたりで一台をつかうことになっている。ただ、ノヴァとマロリー、メアリーベスはチェンバーズ先生といっしょに、一台をつかう。

おなじ作業台のもう一台のオーブンをつかうのは、さっきクスクス笑っていたふたりの女の子だった。でも、いまはクスクス笑っていない。

「最高だね、わたしたちはクズの作業台だよ」背の高い方の子がいった。明るいオレンジ色の服を着て、赤い髪に幅のひろい緑のヘアバンドをつけているせいで、ノヴァはニンジンみたいな子だと思った。その子はノヴァを指さしていた子のひとりだった。

「わたしとデニースは、アシュリーとサミージョーといっしょじゃだめなの？」

「いいえ、クリステル」ノナばあさん似の先生がいった。「パートナーはえらばせたでしょ？　作業台はだめですよ」

ニンジン・クリステルは大げさにため息をついた。もうひとりの髪を細かく編みこんだ方の子は肩をすくめた。その子は水玉模様の服を着て、水玉模様のプラスチックのアクセサリーをつけていた。ノヴァはその子のことを水玉デニースと呼ぶことにした。

ノナばあさん似の先生が、安全に気をつけて作業することがいかにだいじかを話しているあいだ、ノヴァは自分がふわふわと空中をおよいで、どこか遠くへいってしまうような気がした。目には星が見える。耳には音楽がきこえる。ノヴァは耳をふさいで先生の声をしめだしたので、『スペイス・オディティ』が部屋じゅうにひろがった。ノヴァは自分が星の王子さまのようにたったひとりで、星の上に立っているところを想像した。秘密をかかえたキツネがやってくるのをまっているところだ。

「ノヴァ?」チェンバーズ先生がそっとノヴァのひじをつついた。「ノヴァ、はじめる時間よ」

ノヴァは耳をふさいでいた手をさげた。注意事項を全部ききのがしてしまった。でも、だいじょうぶ。クッキー作りはかんたんだ。

ノヴァとマロリー、メアリーベスは、チェンバーズ先生の指示にしたがって、交代ではかったり、そそいだり、まぜたりした。チェンバーズ先生は生の生地を食べさせてはくれなかったけれど、チョコチップを盗み食いするのは、見て見ないふりをしてくれた。

チェンバーズ先生が「だれか、たまごを割る人は？」とたずねたとき、ノヴァはぴょんぴょんはねて、キーキーと声をあげながら手をあげた。ノヴァは慎重にたまごを割った。コツコツコツ。ボウルに殻をおとさない。ビリーに話せたらいいのにと思った。

ノヴァがたまごを割っているあいだ、メアリーベスはそのあとでつかう鍋つかみをさがしていた。ふたつの作業台のあいだにあるカウンターで見つけたメアリーベスは、その鍋つかみをひっぱった。ところが、その鍋つかみのはじっこに、ニンジン・クリステルたちのたまごがのっていた。たまごはケースごと床におちて割れてしまった。

「なにやってんだよ！」ニンジン・クリステルがどなった。

「わざとじゃないもん」メアリーベスがささやく。顔はカーネーションピンクになって、目には涙がいっぱいたまっている。メアリーベスは泣き虫だ。ノヴァよりも。

「気をつけろよな！」ニンジン・クリステルはそういうと、しゃがんで床のたまごをかたづけはじめた。チェンバーズ先生はメアリーベスにも手伝うようにいうと、ニンジン・クリステルにはやさしくしてあげてねといってから、ドアの近くにある予備のペーパータオルをいそいでとりにいった。

ニンジン・クリステルは、まるでたまごがくさいとでもいうように、鼻にしわをよせている。

「ねえ、デニース、こんなの不公平じゃない。そもそも、なんでこいつらはわたしたちのクラスにいるんだよ？　ひとりはぐずで」そこでメアリーベスをにらむ。「ひとりはぶきみ」今度はマロリーに目をむける。「それに、新しい子は変な声だすし」

「気にしないで、ノヴァ」そういったマロリーの声は、ほとんどきこえないぐらい小さかった。ふたりは肩と肩がふれあうぐらい近くにいるのに。「しっかり、しかえししてやるから」

　ノヴァには意味がわからなかった。

「わたしは新しい子がかわいそうだよ」水玉デニースが同情するようにノヴァを見ていった。「変な音をだすのは、この子がわるいんじゃないよ。だって、この子知恵おくれなんでしょ」

　ニンジン・クリステルはよごれたペーパータオルをゴミ箱にほうりこみながらうなずいた。

「だね。口もきけないんだもんね。まちがいなく知恵おくれなんだよ」

　ノヴァの頬が真っ赤になった。ブリジットがそばにいて、「妹は知恵おくれじゃない。おしゃべりじゃないけど、考える人なんだよ」っていってほしかった。

　でも、ブリジットはいなくなってしまった。

そして、ノヴァは「知恵おくれ」なのかもしれない。

「もうすぐ」マロリーがささやく。「もうすぐだから……」

ノヴァは両手で自分の腕をさすった。マロリーのうなるような声で鳥肌が立ってしまった。

チェンバーズ先生がもどってきた。チェンバーズ先生はクリステルとメアリーベスを手伝って、のこっていたたまごをぬぐいとった。

「ねえ、マロリー、クッキーをオーブンにいれたら？」チェンバーズ先生がいったので、マロリーはそのとおりにした。「ええ、それでいいわよ！　あとはまつだけ！」

その横では、ニンジン・クリステルがオーブンにクッキーののった天板をいれた。

「チェンバーズ先生、メアリーベスがトイレにいきたがってます」マロリーがメアリーベスの脇腹を強くこづきながらいった。「だよね？」

「うん」メアリーベスはもじもじと足を交差させながら答えた。

「すごくしたそう」マロリーがいった。「いそがないと！」

「いくわよ」チェンバーズ先生がメアリーベスの手をつかんだ。「みなさん、わたしたちがもどるまで、このコンロをいじっちゃだめですよ。とてもだいじなことですからね。安全第一。

いいですね？」

マロリーはにっこり笑った。「このコンロにはさわりません」

「このオーブンもですよ」

マロリーはさらに大きな笑顔になった。「このオーブンにも」

ふたりが教室からでていくとすぐに、マロリーがまたノヴァの耳もとでささやいた。

「いまだよ」

ノヴァは顔をしかめた。よくわからない。いまって、なんのこと？

「ノヴァはあの子たちをひきつけて」

ノヴァは反応しない。

「あの子たちが、ノヴァの方を見るようなことをしてっていってるの」

ノヴァは反応しない。

「ほら、あっちにいって、力いっぱいさけんでよ」

ノヴァは反応しない。

「いって！」マロリーが教室のまんなかにむけてノヴァの背中をおした。「さけんで。あとはわたしがやるから」

ノヴァは十歩進んだ。大きく息を吸って、ふりむく。マロリーがうなずいた。

ノヴァはさけんだ。

教室の全員が手をとめてノヴァを見た。ノヴァはいやだった。たくさんの人が見ている。ノヴァは両耳を手でおおい、目をつぶった。消えてしまいたかった。

ニンジン・クリステルと水玉デニースのうしろで、マロリーがふたりのオーブンのダイヤルをいじっていた。マロリーはノヴァに両手の親指をあげてOKのサインをだし、もどってくるように手招きした。ノヴァはとぶように作業台にもどった。ノヴァにそそがれたみんなの視線をふりはらうように。

「さあ、つづけましょ」ノナばあさん似の先生がほがらかにいった。「みんな順調ですよ！」

「チェンバーズ先生は『このオーブン』には、さわっちゃだめっていったでしょ」マロリーがにやりと笑った。「『あのオーブン』についてはなにもいってないから」

「え？」ノヴァは「どうして？」という意味できいた。なぜだかマロリーには通じたみたいだ。

「あの子たちはいじわるだよ。メアリーベスのことをぐずって呼ぶのもいやだし、あんたのことを知恵おくれっていうのもいや。あんたはわたしの友だちだもん。わたしはね、友だちにいじわるするやつはゆるせない」

「アー」ノヴァはいった。友だちと呼ばれてうれしかった。

メアリーベスとチェンバーズ先生がもどってきてから十分後、タイマーがなった。チェンバーズ先生は、クッキーをオーブンからだすメアリーベスを手伝った。作業台の反対側では、ニンジン・クリステルが鼻をクンクンさせていた。

「なんかにおわない？　こげくさいんだけど」

「すごくこげくさい」マロリーが低い声でいったので、またノヴァの腕に鳥肌が立った。

「このにおいって……なにかが燃えてるみたい」水玉デニースがいった。

「うわ、やばい！」ニンジン・クリステルがオーブンのドアを勢いよくあけた。黒い煙がもくもくと立ちのぼり、クリステルはせきこんだ。チェンバーズ先生があわててオーブンのドアをしめて、ダイヤルをオフにした。黒こげのクッキーはオーブンのなかにはいったままだ。

「クッキーがだめになっちゃったよ！」水玉デニースがどなった。「クリステル、あんた、なにやったの？」

「わたし？　わたしはなにもやってないよ！」

「オーブンの温度設定が二百五十度じゃないの！　あんたが二百五十度にしたの？」

「やってないよ！　あんたこそ、わたしが目をはなしたすきにやったんでしょ！」

「やってない！」

「わたしだって！」

「わたしはやってない。嘘(うそ)つき！」

「あんたがやったんだよ、あんたなんか……このぼんくら！」そういって、ニンジン・クリステルが水玉デニースを強くこづいた。

「やったわね！」水玉デニースがこづき返した。

「やめなさい！」ノナばあさん似の先生がかけつけて、ふたりのあいだに割(わ)ってはいった。それから、オーブンのドアをさっとあけて、煙(けむり)のでているクッキーがのった天板をひっぱりだした。何人かの生徒が鼻をつまんでいる。チェンバーズ先生は窓(まど)をあけた。

「くさいよ！」背(せ)の高いそばかすだらけの女の子がいった。「ねえ、クリステル、あんたのクッキーは燃えてるタイヤよりくさいんだけど！」

「わたしのせいじゃない！」ニンジン・クリステルがさけんだ。

「お気の毒」マロリーがいった。「わたしたち知恵おくれだって、オーブンの温度をあんなにあげちゃいけないことぐらいわかるよ」

「おまえらだな！」ニンジン・クリステルがマロリーたちを指さしていった。

「ばかなこといわないで、クリステル！」水玉デニースがいった。「この子たちがやるわけないよ」

マロリーは自分たちの皿からかんぺきなクッキーをひとつつまんでかじった。それから、人差し指を唇にあてて「しー」といいながらノヴァにウィンクした。ノヴァは微笑んだ。

星の王子さまとキツネのように、いまやノヴァとマロリーはふたりだけの秘密をもった。

カウントダウン❹ 一九八六年一月二十四日

ブリジットへ

チャレンジャーの打ちあげまで、あと四日。

きょう学校で、何人かの女の子に知恵おくれって呼ばれた。ブリジットはその場にいなくて、どなってくれなかった。でも、だいじょうぶ。マロリーがその子たちのクッキーを黒こげにして、かんかんにおこらせたから。きっと、ブリジットもマロリーを好きになると思うよ。マロリーはわたしの友だちなんだ。わたしのはじめての友だち。どうしてわかるかっていうと、マロリーがこういったから。「わたしはね、友だちにいじわるするやつはゆるせない」って。

ほんとうなら、もうしわけない気分にならなくちゃいけないいんだと思う。人のクッキーを黒こげにするなんてよくないことだから。だけど、どんなに、どんなにがんばっても、もうしわけない気分になんてなれなかった。わたしは、いじわるなのかな？

いま、ちょっと心配。

フランシーンが知ったらどうしよう。わたしがいじわるだからって、おいだされたらどうしたらいいんだろう。フランシーンはピアース先生にわたしのことを、すごくいい子だっていっていた。でも、自分ではそう思えない。いじわるだって思う。だけど、はじめにいじわるだったのはあの子たちなんだから、マロリーがしかえしをして、わたしはうれしかったんだ。

いじわるな気持ちとうれしい気持ち。ふたつの気持ちを同時に感じることをあらわすことばはあるのかな？
たとえば、黄色の気持ちと赤の気持ちをまぜあわせたら、オレンジ色じゃなくて、ぜったいにありえないような木の葉のみどりになったときみたいな気分。わたしはパイングリーンの気分なんだけど、おかしいよね。

そのあと、もっとわるいことがおこった。車で家に帰るとちゅうフランシーンがいったんだ。今週末、スティールさんがわたしの「生活状況チェック」にやってくるって。ブリジットも知ってると思うけど、生活状況チェックっていうのは、わたしたちがそのままいまの里親のところにいるか、ほかの家族のところに移すかをきめるための訪問だ。スティールさんにはきてほしくない。

フランシーンはわたしは字が読めないと思ってるし、寝る前にはドクター・スースの絵本を読むし、生のクッキー生地を食べさせてくれないけど、わたしはフランシーンが好きだ。ブリジットは「里親にはなつかない。里親はいつまでもつづくほんものの家族じゃないんだから」っていうけど、わたしはこの家にいたい。

フランシーンはオーバーオールを七着買ってくれた。わたしが毎日着ていけるように。ルーズソックスも買ってくれたし、シャツのうしろのチクチクするタグも切りとってくれる。それから、学校からの帰り道に、車のなかでその日の学校でのできごとをたずねてくれるし、フランシーンがどんな一日をすごしたのかも教えてくれる。わたしの髪を三つ編みにするあいだ、テレビを見せてくれるから、髪をひっぱられて痛いのも気にならない。

また、かなしくなっちゃったよ。だって、どれもこれもブリジットがしてくれていたことだから。オーバーオールを買うっていうのはべつだけど。ルーズソックスをはかせてくれたし、タグを切りとってくれたし、その日のできごとをたずねてくれたし、ブリジットにおこったできごとも話してくれた。それから、痛いのをわすれさせるために、髪を編むときにはデヴィッド・ボウイをきかせてくれた。おぼえてるよね?

わたしはフランシーンとビリーが好き。だけど、寝る前の本はブリジットに読んでほしい。

それから、わたしはマロリーが好き。だけど、キツネの秘密みたいに、秘密はブリジットとわかちあいたい。

いろいろな気持ちがごちゃごちゃたまってきて、宇宙みたいにふくらんで、いつかスーパー・ノヴァみたいに爆発するんじゃないかと思う。きょう、テストを受けているときに、ブリジットにはわたしを見つけられないんじゃないかと不安になってきた。だけど、自分にいいきかせた。ブリジットはちゃんと見つけてくれるって。前に丸々十週間もべつべつのグループホームにあずけられたときも、ちゃんと見つけてくれた。あのときだって、見つけてくれたんだから、今度だって。地球から月にいく方法をNASAに見つけられたのなら、わたしがどこにいて、ブリジットがどこにいても、きっと見つけだしてくれる！　心配するのはもうやめにしよう。ブリジットだって、わたしを不安な気持ちにさせたくないだろう。ブリジットはかならず約束を守ってくれる。

フランシーンとビリーはいい人だ。だけど、いつまでもつづくほんものの家族じゃない。いつまでもつづく家族はブリジットだけ。

あいたいよ。

スーパー・ノヴァより愛をこめて

8

「いよいよ近づいてきたな！」土曜日の朝、ビリーが新聞をふりまわしていった。間近にせまったチャレンジャーの打ちあげについての記事が、七人の乗組員のカラー写真といっしょに載っている。

「ねえ、ノヴァ。ちょっと教えてくれないかな？　はじめて宇宙にいく学校の先生ってどの人だったかな？　このりっぱなひげをはやした男の人かな？」ビリーは宇宙飛行士で物理学者のロナルド・マクネアを指さした。ビリーとよく似た口ひげをはやし、肌の色もよく似た茶色だけれど、マクネアははげてはいない。

ノヴァは首をふってクスクス笑った。

ノヴァはクリスタ・マコーリフを指さした。フランシーンのように肌の色はピンクで、鼻は小ぶりだ。でも豊かなカールした茶色の髪で、前髪をおろしている。それに、メガネもかけていない。

マクネアとマコーリフは右胸に赤地に白のＮＡＳＡのロゴがついた青むらさき色のジャケットを着て、アメリカの国旗の横に立っている。

マクネアはヘルメットを、マコーリフはスペースシャトルの模型をもっている。五十センチほどの長さの模型で、ブリジットが百万回もクレヨンで描いてくれたのとおなじスペースシャトルだ。ブリジットは宇宙旅行について教えてくれるとき、いつもその絵をつかった。ひとつだけちがっているのは、ブリジットはＮＡＳＡと書かれた部分にふたりの苗字、ＶＥＺＩＮＡと書きこんでいた。

その写真のクリスタ・マコーリフとロナルド・マクネアはにっこり笑っている。

「そりゃ笑うよね」その写真をはじめて見たとき、ブリジットはそういった。「わたしだって、ほっぺたがちぎれるほど笑っちゃうだろうな！」

ノヴァはほっぺたがちぎれるほど笑うなんてオーバーだとは思ったけれど、その写真は気にいっていた。

ビリーに記事を読んでもらったあと、ノヴァはうれしそうに手をぱたぱた動かしながら階段をのぼりはじめた。ノヴァは部屋でケーブルテレビを見たかった。でも、フランシーンが階段をかけおりてきた。

「これはなに？」フランシーンはブリジットあての手紙のノートを手にもっていた。ピアース先生がデタラメだらけの落書きノートといっていたものだ。

「ムン」ノヴァは「わたしの」というつもりでいって、ノートに手をのばした。フランシーンはわたしてくれない。

「あなたの部屋を掃除してて見つけたの。文字みたいに見えるんだけど。ノヴァは字を書いてるの？」

「ムン」こんどは「イエス」の意味でいった。もう一度手をのばす。

「ねえ、ビリー、見てちょうだい」フランシーンはそういいながらスパイラルノートをひらいてビリーにむけてさしだした。「ただの落書きもあるけど、これなんか『me（わたし）』に見えるよね。それにこっちは『moon（つき）』だと思う。これなんかは、ほぼかんぺきに『Nova（ノヴァ）』だよね。それにほら！　これは『ton（トン）』ね」

『ten（テン）』ノヴァはそういいたかった。それは十のテン。

それまで、ノヴァのノートが読めるのはブリジットだけだった。そのブリジットでさえ、よくまちがえた。それでも、ノヴァは正しいふりをしてうなずいたり「ムン」といったりしていたけれど。

ノヴァはまた手をのばした。もう三度目だ。どれもこれも「ただの落書き」なんかじゃない。すべてのことばはブリジットに読んでもらうためだけに書いたものだ。

「ねえ、ノヴァ、きみは字を読めるのかい？」ビリーがたずねた。「ピアース先生は、字を読ませるテストもしたんだろうか？」

「わからないわ。前回の先生のレポートには、ノヴァはアルファベットもぜんぜんわからないって書かれてた。でも、ピアース先生はテストがおわったら、くわしい報告書をくれることになってる。すくなくとも、あと一週間はかかるけど」

あと一週間もテスト？　ノヴァはうめいた。話せたらどんなにいいかと思った。そうしたら、「もうおわりにして」といえるのに。

「いいことを思いついた！」フランシーンが興奮していった。「ねえ、ビリー、油性ペンと画用紙をとってきてくれない？　わたしははさみをさがしてくる」

「左のひきだしのいちばん上の段に、缶切りといっしょにはいってるよ！」ビリーはペンと紙をとりにいった。

ノヴァはキッチンの椅子にすわって体をゆらしながらハミングをした。ノートを返してほしかった。テレビも見たかった。でも、必要なものがそろうと、フランシーンは書いたり切ったりして、文字をたくさん作りだした。アルファベットが全部順番にならんでいる。その下には文字が書かれた列がふたつ。ひとつはＡＥＩＯＵ。もうひとつにはＤＬＭＲＳＴと書かれている。

「これはね、母音とよくつかわれる子音なの」フランシーンがビリーに説明している。「幼稚園でわたしがみている子たちは、まずこれらを認識する場合が多いの」

幼稚園の赤ん坊あつかいか。ノヴァはそう思った。

フランシーンはインデックスカードサイズに切ったほかの紙に、短い単語を書いていく。

CAT HAT DOG BOY MOON ME NOVA TOP RED NO YES BRIDGET

最後のことば「ブリジット」を見て、ノヴァはドキドキした。

それから、テストがはじまった。これじゃあ、ピアース先生とおんなじだ。

「Aにさわって。つぎはE、R、S、L」

つぎつぎと指示するフランシーンにせいいっぱい集中して答える。アルファベットの文字が五つから十個ぐらいまでのなかからえらぶときにはまちがえないけれど、全部の文字のなかからだとBとD、Pとがごちゃまぜになってしまう。Oはおぼえていても、Qはおぼえられないし、いそがされるとMがNに見えるし、NがMに見えてくる。MはMoonのMで、NはNovaのNだとはわかっているのに。

「じゃあ、つぎはこっちのことばに挑戦ね」フランシーンがいった。

「ビデオカメラをとってくるよ！」ビリーはそういってキッチンをとびだし、すぐにもどってきた。肩に大きなビデオカメラをかついでいる。カメラの赤いライトがオンになっている。

「ノヴァ、CATをわたして」

ノヴァは注意深くカードを見た。CATはかんたんだ。CではじまってATとつづく。ブリジットがいちばん最初に教えてくれたことばのなかのひとつだ。ノヴァはCATのカードをフランシーンに手わたした。

「いいわよ！」

ノヴァは涙がこぼれないようにまばたきした。なんだか学校みたいだ。学校でテストを受けてるみたいだ。ここは家なのに。それになんの役に立つというんだろう？　ノヴァはテストがどんな風におわるか知っている。

読めず、話せず、重い知恵おくれ。

そして、いったんその判断がくだったら、このふたりもわたしなんかほしくなくなるのかもしれない。前の里親は、ブリジットがわるい成績をとると、もうほしがらなかった。ノヴァはきっとまたどこかにいくことになる。あの屋根裏部屋の丸い窓や生のクッキー生地、それにジェファーソン・ミドルスクールではじめてできた友だちともさよならしなくちゃいけなくなる。そして、ブリジットはどこをさがしていいのかわからなくなる。

「ノヴァ、HATをわたして」

ノヴァはCATをわたした。

「ちがうわね、ノヴァ。HATをちょうだい。ハ、ハ、ハットよ」

どうして、こんな変ないい方をするんだろう？　ノヴァはフランシーンとは目を合わせずにHATを手わたした。

「ノヴァ、MOONをちょうだい」

ノヴァは思わずにっこりしてしまった。ためらわずにMOONのカードをつかみ、さしだされたフランシーンの手にのせた。月はかんたんだ。大好きな月。ブリジットはノヴァが五歳のときにMOONを教えてくれた。ノヴァはヒツジのおなかのなかでよくノートにMOONと書いていた。ブリジットが学校から帰ってくるのをまつあいだにだ。何度も何度も。MOON MOON MOON このことばは、いつだってまちがえずに読める。

フランシーンは何度もことばをえらばせた。ときにはおなじことばを二回つづけていうこともあった。ノヴァは正しいものをえらぶときもあったし、まちがえるときもあった。でも、正しい方が多かった。一度もえらばせないことばが最後にふたつのこった。

「ノヴァ、あなたの名前は？」フランシーンがたずねた。ノヴァはとまどった。フランシーンは知っているのに。いまだって最初に呼んだ。それに、どうやって答えろというのだろう？幼稚園のとき答えようとしたのに、そのことばがのどにつかえて、声にだしていえたのは「ビジェ、ビジェ、ビジェ」だけだった。おかげで大きなめんどうに巻きこまれてしまった。

「あなたの名前をちょうだい」フランシーンはカードの方をさしていった。

「アー！」ノヴァは答える方法がわかって声をあげた。NOVAと書かれたカードをつかんでフランシーンに手わたす。そして、自分の胸をたたいていった。「ムン！」わたし、というつもりだ。

「すごいぞ、ノヴァ！」ビリーがさけんだ。大きなカメラに顔が半分かくれている。

「これが最後よ、ノヴァ。あなたのお姉さんの名前は？」

ノヴァは一列にならんだカードのなかに見つけた。いちばんはしにあった。ノヴァはそれを手にとった。フランシーンにわたしたかったけれど、どうしてそんなことができるだろう。ブリジットはフランシーンのものじゃない。ブリジットはブリジット本人とノヴァだけのものだ。ノヴァがノヴァとブリジットのためだけのものなのとおなじで。ノヴァはブリジットをフランシーンにわたすことができなかった。わたしてしまったら、ブリジットはよろこばないだろう。

ノヴァの耳に、ブリジットの声がきこえた。

「いま、そこを自分のうちみたいに思ったら、あとではなれなくちゃいけないときにつらくなるよ」

その、あとで、がいつになるのかノヴァにはわからない。すぐかもしれない。あしたかもしれない。あした、スティールさんがようすを見にきたときに。

ノヴァはブリジットのカードを胸に抱いた。耳の先がピリピリする。体がふるえはじめた。はねるのでも、ぱたぱたするのでもなく、ぶるぶるとふるえはじめた。ビリーにはカメラをおろしてほしい。フランシーンにはカードをどこかにやってほしい。ふたりとも、ノヴァをひとりにしてほしかった。これ以上、もうテストを受けたくなかった。もう話したくない。もう、ずっとつづく家族のふりはしたくない。

ブリジットはいってしまった。

ノヴァはぶるぶるふるえている。

ノヴァは頭を横に一、二、三、四回ふった。手のひらでこめかみを一、二、三、四回たたいた。親指と人差し指のあいだをかんで、体をゆらしたりハミングしたり、手をぱたぱたしてみても、気分はよくならない。

ノヴァはテーブルにおでこをつけて目をつぶった。

「ノヴァ？」フランシーンがやさしく声をかけた。ビリーが肩をトントンとたたく。ノヴァはどちらも無視した。

これで、もうおしまいだ。

カウントダウン❸ 一九八六年一月二十五日

ブリジットへ

チャレンジャーの打ちあげまであと三日。

わたしは毎日欠かさずにブリジットに手紙を書いている。

ブリジットは書いてくれてる?

きょう、フランシーンはわたしに字を読ませようとした。ことばを書いたカードも作った。幼稚園のとき、ブリジットが作ってくれたのとおなじようなカードだ。ただ、ブリジットのとはちがって、裏に絵はない。

わたしはうれしくならなくちゃいけないんだと思う。フランシーンがうれしいといっていたから。だけど、わたしはちっともうれしくなかった。ABCは知っているけど、字を読むのはむずかしいし、書くのはもっとむずかしい。ブリジットみたいに書くのはぜったいに無理だ。XがZとおなじ音になることがあったり、CがSとおなじ音になったりするのはいつだって大きらいだ。それから、bとpとdとqはどれもおなじに見えるのに、ちがう字だっていうのも大きらいだ。そして、いちばんきらいなのは、「Aの小文字はしっぽをつけたお月さま!」ってブリジットがいっていたこと。月にしっぽをつけるなんて考えられない。

ブリジットがもう一回書いてみてといったとき、たたいちゃってごめん。もう一回書きたくなかったけど、たたくのはいけないことだった。学校でピアース先生がいう「ハッピー・ハンド」っていうのは、たたいちゃだめっていう意味だ。ピアース先生はたたくのはすごくいけないことだという。もし、たたいちゃったら、ごめんなさいといわなくちゃいけない。だから、ブリジットをたたいたときにごめんなさいっていわなくてごめんなさい。

それから、きのう学校でぴょんぴょんバディをたたいたのは、すごくわるかったと思ってる。

朝の輪のとき、わたしは音楽マーゴットの頭をおこそうとしていた。そのとき、チェンバーズ先生にぴょんぴょんバディと席を変えるようにいわれた。わたしはうすらひげルークのとなりになって、そのとなりはいばり屋マロリーだ。

忠誠の誓いのとき、バディはぴょんぴょんしないでマロリーのメガネをつかんではずした。

「返して、バディ！」マロリーはさけんだ。バディはそのメガネを自分の顔にかけた。マロリーはもっと声を大きくしていった。「返して！」

バディは輪からぬけだして、わたしの机の上に乗った。ゲラゲラ笑っている。マロリーは泣きだしてしまった。いつも泣くのはおとなしメアリーベスなので、めずらしいことだ。マロリーは泣くのは赤ん坊だっていっていたのに。

ピアース先生はバディにすごくていねいに二回、メガネをマロリーに返してといった。なのにバディは返さない。だから、わたしもおなじ机に乗って、バディの肩をたたいた。それから、マロリーのメガネをとり返してマロリーにわたした。バディは机からおりて、自分の席にもどった。

マロリーはよろこんだし、わたしもうれしかった。でも、チェンバーズ先生はよろこんでいなかった。「ノヴァ！　ハッピー・ハンドっていうのは、たたかないってことですよ！　友だちをたたくのはぜったいにだめです！」チェンバーズ先生はそういった。

学校がおわると、ピアース先生は迎えにきたフランシーンに、わたしがなにをしたかを話した。車で家にむかうとちゅう、フランシーンはいったんだ。「すごくがっかりだわ」って。

ナサベアもすごくがっかりしていた。

わたしはわるい子になっちゃったんだろうか？　クッキーをこがして、友だちをたたいて、テストをまじめに受けないわたしは。

あした、スティールさんがやってくる。

ビリーとフランシーンには、わたしのいいところをつたえてほしい。前の里親みたいに、わるいところばっかりいうんじゃなく。

ふたりには、わたしをここにいさせてといってほしい。

ふたりには、ブリジットもいっしょにいさせてほしいといってほしい。

わたしはブリジットとウェスト家のみんなに、わたしのいつまでもつづくほんものの家族になってほしい。

ブリジットにはわたしのことを誇らしく思ってほしい。

チャレンジャーの打ちあげまであと三日だよ、ブリジット。

わたしはオライリー先生の教室でまってるね。ジェファーソン・ミドルスクールの一階、六年生の棟の一〇六号室だよ。『テラビシアにかける橋』のポスターを通りすぎたところ。

きっとわたしを見つけてくれると信じてる。前にも見つけてくれたんだから。それに、約束したんだから。

でも、毎日すこしずつ心配になってる。

あいたいよ。

スーパー・ノヴァより愛をこめて

9

日曜日の朝早く、ジョーニーがノヴァをおこした。

「着替えて」ジョーニーはささやいた。「ファミレスで朝ごはんにしよう。わたしたちだけで！」

ノヴァはベッドからとびおきた。ファミレスは大好きだ。ホイップしたバターとメープルシロップをかけたパンケーキがある。

ノヴァはバスルームにかけこみ、歯磨きも洗顔もおえてもどってきた。赤レンガ色のストライプの長袖シャツ、お気にいりのオリーブ色のオーバーオールを身につけ、ジョーニーにジッパーをあげてもらった。靴下は青むらさき色のルーズソックスだ。

ジョーニーはノヴァの髪を整えてハグしようとしたけれど、ノヴァは身をよじってのがれた。ジョーニーは好きだし、ファミレスも好きだけれど、いまでもハグされるのは好きじゃない。

とにかく、そんなには。

「さあ、いこうか。スティールさんがくるまでには、もどってこなくちゃ」

ノヴァは顔をしかめた。ファミレスにいくことで舞いあがって、ソーシャルワーカーのスティールさんのことはすっかりわすれていた。もうじきスティールさんがくると思うと、ノヴァはおなかのなかにしこりができたような気持ちになった。ノヴァの靴ひもみたいにこんがらがってほどけないしこりだ。

この五年間、月に一度はスティールさんとあっているけれど、毎回、どうしてもこわくなってしまう。それというのも、スティールさんがやってくる目的がただのチェックなのか、ほかの里親への移動のためなのかがあらかじめわからないからだ。

けれども、ファミレスに着いたときには、せっかくの朝ごはんを台無しにしたくなくて、ピーター・パンみたいに「ハッピーなことを考える」ことにした。

ジョーニーはノヴァに、自分の食べたいものは、メニューの写真を指さして自分でオーダーするようにいった。ノヴァはもちろんパンケーキをたのんだ。ベーコンもそえてもらい、メープルシロップをたっぷりかけた。ジョーニーはスクランブルエッグとコーンビーフハッシュ、トーストをたのんだ。ふたりはびんから直接コーラを飲んだ。

食べているあいだ、ジョーニーはしゃべって、しゃべって、しゃべった。ノヴァはちゃんときこうとしたけれど、まだ九時半で、教会からは人がでてきていないのにすでに大にぎわいのファミレスの光景や音に気をとられてしまった（教会から人がでてくると、ファミレスの前には長い列ができる）。それでもノヴァは、にこにこしながら何度も「ムン」といった。ジョーニーもずっと笑顔で、楽しそうだ。

帰るとちゅう、ジョーニーが車を道路脇によせた。そして、それまでいっしょにうたっていたデヴィッド・ボウイの『レッツダンス』の音を消した。ノヴァもそれまで、助手席で手でひざをたたきながらリズムをとっていた。ジョーニーは車をとめた。

「この曲をきくと考えちゃうんだ」ジョーニーはそういって道路脇のなにかを指さした。「ねえ、ノヴァ、あそこの土手にある十字架が見える？」

それは土にさしてある、白く塗られた木の十字架だった。

「前にも母さんといっしょに、ここを通ったでしょ？」

「ムン」ノヴァはいった。たしかに以前、フランシーンがあれを指さしていた。でも、ノヴァはべつになんとも思っていなかった。土にささったただの木の十字架だ。ノヴァはその十字架から目をそらした。この話はさっさとおわりにしてほしかった。

「あの十字架を見ると、思い出すよね、わたしたちは……」ジョーニーはそこで口ごもってことばをさがしている。「だれかがいなくなると、わたしたちはさびしく思うけど、その人のことをわすれないようにしなくちゃね。死んじゃったわけじゃなくて、なにかの理由でいなくなっても、その人のことをなつかしく思って、わすれないようにしなくちゃ。わたしが兄さんたちのことをなつかしく思うみたいにね。みんな独立してでていったけど。わたしの部屋には兄さんたちの写真があるんだ。その写真を見るたびに、兄さんたちが大学にいく前、いつもうしろにくっついてまわっていたころのことを思い出す。わたしもね、あした大学にもどるの。だから、ファミレスにさそったんだよ。知ってた？」

ジョーニーはノヴァには細かいことはあまり話さないので、いまいったことも知らなかった。それでもノヴァは「ムン」と答えた。どっちみち、なにもかもがおわりになるんだから。

でも、ジョーニーはまだおわりにしなかった。

「でも、いいんだよ！　ノヴァがママにあいたいって思うのも、わたしが兄さんたちにあいたいって思うのも、それから、えっと、ノヴァがブリジットのことをしのぶ気持ちもよくわかるんだ……」

ノヴァはわずかに首をかしげた。しのぶっていうのは、そのだれかがどこかにいってしまったり、死んでしまったときに思うことだ。最初にママとひきはなされたとき、ブリジットがそう教えてくれた。

「ママをしのぶ気持ちはよくわかるから」ブリジットはよくそういっていた。「わたしだっておなじだから」

でも、ノヴァはママにあいたいとは思わない。いまはもう。ママのことはほとんどおぼえていないし、おぼえているのはいいことだけだ。一度、いっしょにクッキーを焼いた。それは楽しかった。それから、ときどき小川まで散歩にいって、石で水切りをした。でも、ママにはなにを期待したらいいのかわからなかった。そこはブリジットとはちがう。

「だからね、わたしはなにをいいたいかっていうとね……」

「ムン！」その話はもうききたくないとはっきりいいたかった。

「つまりね、家族っていうのは……、家族にはいろいろあって……。わかるかな？」

「ムン」自分でも、きょうはこのことばをずいぶんたくさんつかっていると思った。でも、今回はほんとうにわかっている。最初の里親のお母さんは、『いろいろなかぞく』という本を読んでくれた。

「お父さんお母さんといっしょにくらしている子どももいるし、おじいちゃんおばあちゃんとくらしている子どももいるよね。お兄さんや弟がたくさんいる子も、お姉さんがひとりだけいる子どもも。ひとりっ子の家もあるよね？」

この家族の話と道端の十字架のそばにいることとにどんな関係があるのか、ノヴァにはわからなかった。ファミレスにいったことや、大学の話、ラジオのデヴィッド・ボウイとの関係も。

「みんながよく似た家族もあるよね。わたしのふたりの兄さんみたいに。ふたりはよく双子とまちがわれたんだよ！　だけど、家族どうしがぜんぜん似ていないこともある。わたしと母さんみたいにね。肌の色、髪の質、目の色もぜんぶちがう。でしょ？　だけど、それでいいの」

「ムン？」ノヴァはシートの上でとびはねて、ラジオのダイヤルをトントンたたいた。もっと音楽を。家族や目の色のバカみたいな話じゃなく。ノヴァはブリジットの目の色さえ思い出せないんだから。

「そばにいないたいせつなだれかにあいたいって思うのはいいんだけど、新しい人を好きになるのもいいことだと思うんだ」ジョーニーはノヴァの手にふれようとするように手をのばしてきた。でも、ノヴァは手をひいて、ナサベアのふわふわの毛に指をつっこんだので、ジョーニーの手はハンドルにもどっていった。「ノヴァがブリジットがいなくてさびしいのも、もどってきてほしいって思うのもわかってる。それにほんとうのお母さんのことをなつかしく思うのも、たぶんもどってきてほしいと思っているのもわかってる。だけどね、わたしの両親があなたのことを大好きなのもわかってる。わたしも大好きだよ。だからね……、わたしたち、家族になれないかな？　もしそうなったら、すごくすてきだと思わない？」

今度は「ムン」とはいわなかった。ノヴァはハンドルをつかんでいるジョーニーの濃いむらさき色の爪をじっと見つめた。そして、ブリジットもよくマニキュアをぬっていたなと思った。ブリジットのお気にいりは蛍光グリーンだった。ノヴァの爪にも何度かおなじ色をぬったけれど、ノヴァはかわくまでじっとまっていられず、マニキュアが服のあちこちについてまだらな爪になってしまった。

ジョーニーがつづける。「わたしの兄さんたちがいつだってわたしの兄さんなのとおなじで、ブリジットはいつだってノヴァのお姉さんなんだけど、わたしたちも姉妹になれないかな？　わたしとノヴァで。この先いつまでも。わかる？」

ノヴァはどう返事をしていいのかわからなかった。ほかにお姉さんがほしいと思ったことは一度もない。お姉さんはブリジットだけだ。ビーザスとラモーナみたいに、ブリジットとノヴァ。でも、ジョーニーといっしょにいるのは楽しい。ウェスト家にもこのままいたい。この先いつまでも、ということばは気にいった。

「さっきもいったけど、わたしはあした大学にもどるんだ」ジョーニーは手をのばして、今度はちゃんとノヴァの手にふれた。でも、一瞬だけだ。「ノヴァにあえないとさびしいな。でも、イースターのときには帰ってくるから。そのときは、兄さんたちにもあえるよ。兄さんたちのおくさんにも。それから、わたしの甥っ子たちにも！　すごくかわいいんだから。あの子たちもノヴァのこと大好きになると思うな。母さんからきいたけど、ノヴァはことばをたくさん知ってるんだってね。月とネコとか。わたしがあっちにいってるあいだ、おたがいに手紙を書けるよね？　それから、わたしの写真をおいていくね。わたしといっしょの写真も撮ろうよ。すごくすてきだと思わない？」

ノヴァは考え考えうなずいた。たしかにすてきだけど……。だけど、ブリジットはなんていうだろう？

「うちの家族はね、兄さんたちが遠くの大学にいってしまってからは、なんていうか空っぽな感じだったんだ。でも、母さんと父さんがノヴァをつれてきてから、うまくいえないけど、この家はずっとずっと……完成しはじめたっていう感じがする。わたしもうれしい。妹ができたのもうれしいし……」ジョーニーはそこでナサベアを抱きあげて、ヘルメットにキスをした。

「それに、クマの宇宙飛行士が家にいるのもうれしい」

「ナー」ナサベアの胸の文字を指さしながらノヴァはいった。「ナーベア」

「ナサベア？」ジョーニーがたずねる。「それがこの子の名前なの？」

ノヴァは、シートでとびはねながらキーキーと声をあげてにっこり笑った。もう一度、胸のロゴにふれる。

「ナーベア！　アー！　ムン！　ナーベア！」

「ナサベアか」ジョーニーも微笑み返す。ナサベアをふたりのあいだのシートにすわらせて、ふわふわの前足と握手した。「わが家へようこそ、ナサベア」

そのあとしばらくして、家に着くと、おなじみのウッドパネルのステーションワゴンがとまっていた。スティールさんの車だ。ノヴァのおなかにまたしこりがもどってきた。前日、ブリジットに手紙を書いているときと、けさファミレスにいく前にできたのとおなじしこりだ。そのせいで、メープルシロップがけのパンケーキがせりあがってくる気がして、ノヴァは何度もつばをのみこんだ。でも、しこりはなくならない。

「いこう」ジョーニーがそういってノヴァの手をとった。ふたりは勝手口から家にはいり、キッチンを通ってダイニングルームにいった。そこにはフランシーンが用意した小さなキュウリのサンドイッチがおいてあった。耳は切りおとしてある。玄関ホールでは、ビリーがスティールさんのコートをクローゼットにしまっているところだった。

「おかえり。ちょうどまにあったよ！」

ジョーニーは大学にもどる荷造りがあるといって部屋にひっこんだ。ノヴァはナサベアをぎゅっと胸に抱き、スティールさんをにらんだ。

「もう大学にもどっちゃうのか」ビリーはため息をついた。「冬休みはいつだって、あっというまだな」

「お気持ち、よくわかります。うちの子もふたり、大学にいってるんです」スティールさんはハハッと笑った。「ふたりとも、お金にこまるまでわたしのことなんかわすれてるんですけどね。こんにちは、ノヴァ」

ノヴァは返事をしなかった。

「ノヴァ、スティールさんにあいさつしなくちゃ」廊下にでてきたフランシーンがうながす。

「いいんです」スティールさんは気をわるくしたようすはない。「わたしたちの会話は理解していないんですから」そういうと、大げさに手をふってゆっくりいった。「元気、そうで、よかったわ、ノヴァ！」

「ノヴァはちゃんとわかってますよ」フランシーンがいった。「それに、大声をだす必要もありません。耳はいいんですから。ほら、ノヴァ、ごあいさつを。お願いだから」

「お願い」というよりは、「いますぐに」といっているようにきこえた。

「ハイ」ノヴァはそういって手をふった。ちゃんと手のひらを見せて。

「ハイっていったわ！　すてき！」

スティールさんは純粋におどろいているようで、ノヴァはとまどった。すてきということばとおなじくらいに。おとなたちが一列になってダイニングルームにむかうなか、ほかにすることもなくてノヴァもついていった。パンケーキをもどさないようにがまんしながら。

「ノヴァとはとてもうまくいっています」ブリーフケースをテーブルにおいているスティールさんにビリーがいった。「それで、単刀直入にいいます。わたしたちはぜひノヴァに、このままここにいてほしいと思っています」

ほっとしたノヴァは大きく息を吐いた。大きすぎて、スティールさんがびくっとしたほどだ。

「だいじょうぶ、ノヴァ?」スティールさんが細すぎる眉をひそめていった。

「サンドイッチはいかが? コーヒーになさいます?」フランシーンがスティールさんのむかいの席にすわっていった。ビリーは左の椅子にすわった。ビリーとフランシーンのあいだにはノヴァの椅子がある。ビリーはその椅子の背をトントンとたたいた。小さくため息をついてノヴァはそこにすわった。

ノヴァは部屋を見まわした。食事はキッチンで食べるので、この部屋にはあまりきたことがない。一階の応接間とおなじように、この部屋はおしゃれで堅苦しくてたいくつだった。壁紙は白くて、アクセントにオフホワイトの柄がある。フローリングの床は濃い茶色でピカピカだ。

オーク材のテーブルには、たっぷり十人はすわれそうだ。プールのある裏庭に面した大きなふたつの窓のあいだには、小さなピアノがおいてある。ただ、分厚いベルベットのカーテンがかかっているので窓の外は見えない。屋根裏部屋の方がずっと好きだ。

スティールさんは厚い書類の束をはさんだフォルダーと黄色いノート、黒と青の二本のペンをブリーフケースからとりだした。

ノヴァはキュウリの舌ざわりが好きではないし、まだ気分がわるかったけれど、耳のないサンドイッチをひとつつまんで、もぐもぐと食べはじめた。ナサベアは目の前のテーブルの上にすわらせたので、片手は自由でその手でサンドイッチをかんでいる自分のあごをトントンたたいた。

スティールさんは、ノヴァをじろじろ見ながら、ノートになにか書きつけていく。

「すごく元気そうですね。前回あったときより、ずっと健康そうです」

フランシーンとビリーが目を見かわした。あやうく見のがすところだったけれど、ノヴァははやく部屋にもどりたくて、ふたりがゆるしてくれないかと表情を気にしていたので気づいた。

ノヴァは顔をしかめた。どうしてこのふたりは、あんな風に目を見かわしたんだろう？

「ノヴァは学校に通いはじめてるんですよ」フランシーンがいった。

「学校側といろいろ検討した結果、もう一度六年生からです」ビリーがつけくわえた。

「ええ、とてもいい判断だと思います」とスティールさん。

「これ、つけてもかまいません？」フランシーンが背中側の戸棚の上にあった小さな扇風機に手をのばしてたずねた。「大人数だと気温があがってしまって」

「もちろんです、どうぞ」コーヒーにミルクをいれながらスティールさんがいった。クリームがこぼれてしまったので、ビリーがナプキンをとった。

扇風機が首をふって、スティールさんの整髪剤のにおいをノヴァの鼻に吹きつけたので、ノヴァはうめき声をあげた。このにおいは大きらいだ。ブリジットはパーティにいく前に髪をゴージャスにセットしようとして、この整髪剤をたっぷりつかっていた。ノヴァはブリジットが髪をセットするのが大きらいだったし、このスプレイを吹きかけるのも大きらいだった。ノヴァをおいて、友だちとでかけるということを意味するからだ。

ノヴァはスティールさんがブリジットのようなかっこうをしている姿を想像した。ヒョウ柄のトップスに黒い革のスカート、プラスチック製のネオンカラーのぶっといバングルをじゃらじゃらといくつもつけ、破れ目だらけのタイツに、肩にふれそうなほど大きなシルバーのフープピアスをつけている。ブリジットはいつもとてもかっこよくて、マドンナにも負けないぐらいだったけれど、スティールさんは？　バカみたいだ！

その姿を頭からおいだすことができなくて、ノヴァはキーキーと高い声をあげ、そのあと三度、吐きだすようにあえぎ声をあげた。

スティールさんがおどろいている。「どうしましょ、のどがつまったの？」

「笑ってるんですよ！」フランシーンはそういってスティールさんをじっと見た。「もう、五年もノヴァを担当されてるんですよね？　これまで、ノヴァの笑い声をおききになったことはないんですか？」

「そういえば、一度もないですね」

とまどったノヴァは、自分のこめかみを一、二、三、四回たたいた。大きな声をだしてしまった自分を自分でしかっているつもりだった。ビリーがノヴァの手をやさしくにぎっておろさせた。

「もうすこし、ここにいてくれるかな？　そのあと、部屋にいっていいから」

ノヴァは返事をしなかった。そこにすわったままだ。フランシーンがコーヒーをすすった。

ビリーはサンドイッチを食べた。スティールさんはノートに書きこんでいる。ノヴァはきくのをやめた。おとなたちの会話に耳をかたむける価値はほとんどない。ハミングをしながら体をゆらしているうちに、体から緊張がぬけていった。ビリーはノヴァをこのままこの家にいさせたいといっている。それに、スティールさんがきょうノヴァをほかの場所に移すつもりでいたのなら、いまごろもう、この家にはいなかっただろう。ノヴァはちょっとだけおちついた。

いましなくてはいけないのは、手紙の送り先もわからないブリジットに、この家の場所を知らせる方法を考えることだ。もしかしたら、スティールさんがここの住所を知らせてくれるかもしれない。ノヴァは自分が話すことができれば、フランシーンとビリーにブリジットもいっしょにくらせないいかたずねることも、スティールさんにブリジットにあいにいかせてほしいとたのむこともできるのに、と思った。最初にふたりが養護施設にあずけられたときは、ときどきママのところにいかせてくれた。もし、ママのところにいけるのなら、ブリジットのところにだっていけるはずだ。

「……来年のうちに何度か再評価をすることになりますね」スティールさんが話している。

「その際には、担当教師によるテストの結果も考慮にいれなければいけませんし……」

ノヴァは目をとじ、自分がどこか遠くにいるところを思いうかべた。右胸のポケットに青い文字でＮＡＳＡとプリントされた白い宇宙服を着ている。ノヴァは月面に立って星々を見あげている。ひとりぼっちだ。ブリジットはどこ？

ブリジットはいってしまった。

ノヴァはおこっている。

ノヴァがおこっているのは、ブリジットがいってしまったからだ。

ノヴァは月の砂ぼこりをまきあげて地団太を踏んでいるところを空想した。こぶしで太ももをたたきながら、左へ右へと頭をめぐらせ、いなくなったブリジットをさがす。ブリジットもいっしょにきたはずなのに。ぜったいにいっしょにきたのに！　ノヴァひとりで、月までとんでくるなんてできるはずがないんだから。

「ノヴァの学校でのようすはいかがですか？」スティールさんがフランシーンにたずねている。

ノヴァはデヴィッド・ボウイの『スペイス・オディティ』を頭のなかで何度も何度もくり返し再生した。腹立たしい思いと、地球がはるかかなたにしか見えない場所にたったひとりでいる姿を頭からしめだすためにだ。ノヴァは腹を立てるのは好きじゃない。特にブリジットに対しては。フェアじゃないからだ。ブリジットがノヴァに腹を立てたことなんか、ほとんどなかった。ノヴァがブリジットをたたいたときでさえも。

ときどき、スティールさんやビリー、フランシーンの断片的なことばが、ノヴァの頭にとびこんでくる。でも、そのほとんどをノヴァはしめだすことができた。自分自身を遠くはなれた安全な世界にとじこめることで。

「……すごくおかしな姿勢でただよっている……」

「……字が読めると思うんです！　いくつかの単語ははっきり識別してますし、自分の名前のアルファベットもほとんどわかってます。百パーセントとはいえませんが、まぐれとはいえないぐらいははっきりと……」

「……きょうの星は、いつもとずいぶんちがって見える……」

「……おふたりの熱意はたいへんすばらしいと思うんですが、わすれないでいただきたいんです。ノヴァは自閉症で、認知機能に障害があります。あまり期待をしすぎると……」

「……世界のはるかかなたで……」

「……わたしたちは信じています。いい教育環境と安定した愛情に満ちた家庭があれば、まったくちがった世界がひらけて……」

「……ブリキ缶のなかにすわって……」

「……おふたりはわかっていらっしゃるんでしょうか？　あまりにものめりこみすぎると、いずれは……」

「……地球は青いよ……」

「ええ、もちろんわかっていますとも」

とつぜん、三人が立ちあがった。ノヴァもぴょんと立った。歌はとまった。月は蒸発して、宇宙の塵となった。ノヴァはすぐにでもスティールさんにさよならをいうつもりだった。でも三人のおとなは、玄関のクローゼットにはむかわず、手に手にコーヒーカップをもって、応接間にむかった。

ノヴァはナサベアをつかんでうめき声をあげた。

「二階で遊んでていいよ」ビリーがいった。「テレビを見ててもいい。リモコンはテレビの上にあるから」

ノヴァはリモコンのつかい方を知らなかった。ボタンがたくさんありすぎるし、レンガみたいに重い。でも、この会話からはなんとしてもにげだしたかった。ノヴァは階段をとちゅうまでのぼったところで足をとめた。フランシーンの声がきこえたからだ。

「……わからないんですよね、ブリジットのことをどこまでわかっているのか」

「わたしも説明しようとしたんですよ」スティールさんの声だ。「あれからの二、三日、わたしはずっとノヴァにつきそっていましたから。ノヴァがブリジットをさがしているのは、常に感じてました。なんとか理解してもらおうとはしたんです。ですが、何度もうしあげてるとおり、ノヴァはとてもいい子ですが、わたしたちが話していることのほとんどは理解できないんです。けっしてわからないことを、説明しつづける必要はあると思いますか？」

「それには賛成できません」ビリーがいった。「わたしたちは、ノヴァはあなたが思っている以上にかしこい子だと思っています」

ノヴァは微笑んだ。ノヴァはいい子。ノヴァはかしこい子。うれしいことばだった。その場にすわって、もうすこしきいていることにした。

「ふたりがにげだした理由を、わたしたちはわかっているんでしょうか？」フランシーンがたずねる。「ふたりは育児放棄されていたんですか？」

「いいえ、それはありません。わたしはあの里親家庭を徹底的に調べました。ほかにも里子の女の子が四人いましたが、全員なんの問題もありません。里親の母親がいうには、あのボーイフレンドが……」

ノヴァは首をかしげた。どのボーイフレンドだろう？　だれのボーイフレンドのことだろう？　ノヴァにボーイフレンドがいたことはない。

「彼がわるい影響をあたえたとお考えですか？」とビリー。

「ブリジットはその子とどのように知り合ったんですか？」今度はフランシーンだ。

そうか、ブリジットのことか。それならわかった。ブリジットにはボーイフレンドがいた。車を運転する吸血鬼のかっこうをした子で、映画館でブリジットの手をにぎっていた。あのボーイフレンドだ。

「友だちからの紹介のようです。そのあと、すぐにブリジットは二教科で落第しましたから。あの時点でもっと警戒するべきでした」

「それはどうして？」

「父親がベトナムで戦死したあとのごたごたがあっても、母親がかかえていた問題や、その後の死があっても、里親から里親へと転々として何度も転校しても、さらには、……ノヴァがいつでも影のようにつきまとっていても、ブリジットはいつも学校では優等生だったんです」

ノヴァはとつぜん、ピーター・パンの物語のシーンを思い出した。ブリジットがピーター・パンで、影のノヴァを石鹸で背中にくっつけようとしているところだ。ノヴァはうれしかった。いつでもおたがいにぴったりくっついていられるなんて。だから、スティールさんはどうして「影」のことを、なにかわるいもののようにいうのかわからなかった。ピーター・パンは自分の影が大好きだった。自分の影がきらいな人なんている？

「数か月前の経過観察の際、以前の里親からきいたときには、ブリジットの成績や態度をこころよくは思っていませんでした。でも、それよりもさらにさしせまった心配をかかえていて……」

「つまり、ブリジットは地面のひび割れからおちこぼれたってことですか？　だれからも無視されてたってことなんですか？」フランシーンの声が大きくなった。ノヴァはカーペットがしかれた階段にすわって、ナサベアのふわふわのおなかに顔をおしあてた。コロンと芳香剤のにおいがいりまじったナサベアのにおいを吸いこむ。

「無視されていたということばは、ちょっと……」

「だけど、そうだったんじゃないですか！　あの子の母親とおなじように。夫がもうしあげたように、ノヴァは貼りつけられたレッテルより、はるかにいろいろなことができるんです。はじめから、適切な教育を受けていれば、もっとおちついた環境にいられれば、それに、一か所でもっと長く生活できていれば……」

「もうしわけありません」スティールさんが口をはさんだ。ちっとももうしわけなさそうではない。「ですが、わたくしどもは悲惨な状況の子どもたちを多数かかえているんです」スティールさんは語気も荒くそういった。「ブリジットのことは残念でした。ですが、わたしが担当している子どもたち全員のことを考えると、反抗的になって、成績をおとし、夕食までに帰宅しない、いってみれば典型的なティーンの女の子ひとりに、特別なエネルギーをそそぐわけにはいかないんです！」

「ですが、あの子は……」ビリーが話しはじめたが、スティールさんがだまらせる。

「あの子は、あの年ごろの女の子ならだれもがやるようなことをやってたんです！　正直にもうしあげます。あの子の服装が派手になって、夜遊びをはじめて、人生をなめてるような態度をとりはじめたとき、わたしは思いましたよ。いいじゃない！　この子にとっては進歩だ！ ってね。わたしがはじめてブリジットとノヴァにあったとき、ブリジットは十二歳でした。あんなにまじめで責任感の強い七年生を見たことはありませんでしたよ。ずばぬけた学業成績で、世界を変える意志にあふれてました。あの子は実質的に妹を養っていましたし、友だちはすくなく、笑っているところはめったに見ませんでした。すばらしい素質をたくさんもっていましたよ。でも、悪気があっていうんじゃありませんが、あの子はストレスで爆発しそうな女の子でした！ 一度、泣きながら電話をかけてきたことがありました。理科の小テストでCをとってしまったからです。そして、新しい里親の家に移してくれっていうんです。そうすれば、大きな定期試験の前に転校できるからって。そんな理由で里親を変えることは勧められないし、そのままがんばって勉強しようねとなぐさめるしかありませんでした。その二週間後、また電話がかかってきました。例の定期試験でクラスで最高のAをとったって。べつにほめてほしくて電話したんじゃない。ただ、知っておいてほしかったんだっていってましたよ」

「まるでジョーニーみたいだな」ビリーがいった。「ジョーニーにとっても、成績はいつも最重要課題だったんです。B以下の成績にはたえられなかった」

ノヴァは微笑んだ。もしブリジットがジョーニーみたいなのだとしたら、姉妹になってもうまくやっていけるだろう。いつまでもつづくほんものの家族。ノヴァとビリーとフランシーンもいっしょだ。

もちろん、ナサベアも。

「ブリジットがにげだしたとき、なにを考えていたのか、わたしにはよくわからないんです。どうして、ノヴァもいっしょにつれていったのかも」スティールさんの声はふるえていた。「あの子らしくない無責任な行動です。わたしはノヴァだけでも……」

「ノヴァがわたしたちのところにいることをよろこんであげてください」フランシーンがいった。「わたしたちもうれしいんです」

スティールさんは事務手続きに話題を変えた。何分間かまっても、もうブリジットの話題がでてこなかったので、ノヴァは階段をのぼり、廊下を進み、テレビのある部屋を通りこし、自分の部屋にはいった。ブリジットのウォークマンとあのテープをつかむと、そのまま屋根裏部屋にあがった。いろいろな考えが、プラネタリウムの流星群よりも速く頭のなかをとびかった。

このままウェスト家にいられる。

いまのところは。

でも、ブリジットはいってしまったままだ。

そして、ノヴァは混乱していた。

ノヴァは屋根裏部屋の丸い窓にむかってひざをつき、ヘッドホンをつけた。巻きもどしボタンをおして、全部が巻きもどったことをしめすカチッという音がするまで、体を前後にゆらした。プレイボタンをおす。デヴィッド・ボウイの声しかきこえなくなる。体を前後にゆらすノヴァには、いっしょにうたうブリジットの声もきこえる気がした。

両腕に、さっと鳥肌が立った。

ブリジットはノヴァに何度も『スペイス・オディティ』をうたってくれた。まるでふたりで作った曲のように。まるで、ふたりだけの曲のように。世界中のだれも知らない曲のように。

「地球管制塔よりトム少佐へ……」

カウントダウン❷ 一九八六年一月二十六日

ブリジットへ

チャレンジャーの打ちあげまであと二日。

きょう、スティールさんがきた。ビリーとフランシーンと話をした。ブリジットのボーイフレンドのこと、にげだしたこと、わるい成績をとったことなんかを話してた。

フランシーンは、ブリジットもわたしもママも地面のひび割れからおちこぼれてたって、おこった声でいっていた。

わたしにはなんのことだかわからなかった。

ひび割れを踏んじゃいけないっていうことは知ってる。ママがよくいってたから。

「ひび割れを踏んじゃだめ！　ママの背骨が折れちゃうんだよ！」

ママといっしょに買い物にいったとき、わたしはひび割れを踏んじゃったことがある。わたしは大泣きした。ママの背骨が折れちゃうと思ったからだ。でも、ママはわたしを抱きあげて大笑いしながら店まで抱っこしてくれた。だから、そんなにひどく折れなかったんだと思った。

ビリーはブリジットのボーイフレンドがわるいエイキョウをあたえたと思ってる。エイキョウっていうことばの意味はわからないけど、あのボーイフレンドがわるかったってことだと思う。ブリジットがあの子を好きだったのは知ってるけど、わたしは好きじゃなかった。歌声が大きすぎるし、車のスピードをだしすぎるし、いつもブリジットとわたしをひきはなそうとしてたし。

ねえ、ブリジット。あの子とあった日、わたしはおこってたんだよ。

あの日はブリジットの誕生日だったけど、それでもわたしはおこってた。

どうしてかっていうと、まっすぐシュガーベーカー・スイーツショップにいって、レインボースプリンクルをかけたアイスクリームを買うはずだったのに、あの子の家にいったから。

ブリジットは「すぐすむから！」っていったのに、すぐにはすまなかったからおこってた。

わたしにテレビを見させておいて、ふたりでおしゃべりしたり、笑ったり、キスしたりしてたからおこってた。

わたしはテレビなんか見たくなかった。

そう、それもおこってた理由のひとつ。レインボースプリンクルをかけたアイスクリームを食べてるはずの時間に、すわってニュースを見てなくちゃいけなかったから。

あの子の妹が帰ってきて、四人で車に乗ったときには、もうアイスクリームはほしくなかった。わたしはおなかが痛くて気持ちわるかった。わたしは何回も声をだした。ブリジットにわたしが家に帰りたいと思っていることを知ってほしかったから。だけど、ブリジットはわたしのシートベルトをつけて、レインボースプリンクルのアイスクリームを買ってくれるって約束した。それからいったよね。「いちばん上にサクランボものっけるから、どうかどうかどうかお願い。いい子にしてて」

そういって、わたしにナサベアを手わたした。

そして、あの日はブリジットの誕生日だった。

だからわたしは、いい子にすることにした。

でも、あんまりいい子じゃなかった。アイスクリームをまっているあいだに、わざとあの子の足を踏んだのはいい子じゃなかった。ナサベアの前足を、わざとあの子のバナナスプリットにつっこんだのもいい子じゃなかった。サクランボをわざと二回もあの子に投げつけたのもいい子じゃなかった。二回も。

あんまりいっしょうけんめいいい子になろうとしていなかった。

いっしょうけんめいじゃなくてごめんなさい。

きょう、スティールさんがくる前に、ジョーニーがファミレスにつれていってくれた。ふたりだけで。すごく楽しかった。

　帰り道で、わたしたちは道端の十字架のところでとまった。ジョーニーはかなしそうだったけど、わたしにはどうしてだかわからなかった。ジョーニーは大好きな人がそばにいないとき、その人にあいたいと思うのはあたりまえのことだといった。でも、いわれなくてもわかってる。おんなじことを、ずっと前にブリジットがいっていたから。ブリジットはいったんだ。ママにあいたくなるのはあたりまえだって。だけど、ママはとてもぐあいがわるくて、わたしたちの世話ができないんだって。そのあと、面会にいかなくなってから、ブリジットはママは小惑星Ｂ６１２にいったんだっていった。本のなかの星の王子さまがやったみたいに、火山のすすはらいをするために。

　ブリジットはいったよね。わたしもよろこばなくちゃいけないって。宇宙にいったママは、もうぐあいがわるくならないんだからって。

　ママはもう帰ってこないってブリジットはいった。

　あした、ジョーニーは大学にもどる。でも、イースターにはもどってくるって。

　ブリジット。ほんとうのことを教えて。

ママはどこにいったの？

病気をなおすために宇宙にいったっていってたけど、宇宙にいった人たちは帰ってくるよ。

バズ・オルドリンもサリー・ライドも。ワレンチナ・テレシコワも。

教えてくれたみたいに、ママはほんとうに星の王子さまといっしょにいるの？

ブリジットはどこにいるの？

あいたいよ。

スーパー・ノヴァより愛をこめて

10

月曜日の朝、ノヴァはまたすごく早くに目ざめてしまった。でも、今回は屋根裏部屋にはいかず、「ジョーニー・ローズ」と書かれた木箱の横にすわって、なかからおもちゃをとりだした。最後にブリジットと遊んで以来、おもちゃには一度もふれていなかった。いつもブリジットといっしょにしていたごっこ遊びを、ひとりでうまくできるか自信がなかったからだ。遊びのルールを考えだしたのはいつだってブリジットだったし、役を割りあてたのも、小さな宇宙飛行士や宇宙人になにがおこるのかをきめるのもブリジットだった。

ノヴァはブリジットみたいに空想するのはあまり得意ではなかったけれど、ノヴァも役になりきらなければならなかった。ごっこ遊びをするときには、感じるまま役になりきる必要があった。たいていはふたりだけで遊んだ。けれども、ほかに七人の子がいる里親の家にいたときには、ブリジットはその子たちもなかまにいれて遊んだ。ノヴァが十歳になったばかりのころだった。ブリジットはもうすぐ十五歳だ。ふたりで馬の牧場のおくにある森を探検していると、ツリーハウスを見つけた。

「かんぺきだよ、ノヴァ!」ブリジットがツリーハウスのなかからさけんだ。ノヴァはこわくてのぼることができず、地面に立っていた。「わたしたちの宇宙基地にしよう!」

ふたりは家にもどってほかの子たちをつれてきた。七人のうち四人は里子だったけれど、双子とよちよち歩きのちびさんは、そこの里親の実の子どもだった。

「わたしが場面をきめるね」全員がツリーハウスの下に集まると、ブリジットがいった。「いまは一九六九年だよ」それから、双子を指さす。「あんたたちはヒューストンの地球管制官。わたしとノヴァ、スーザンとアンソニーは月にむかってるの。それから、あんたたちは」そういって、十一歳と十二歳の年長のふたりを指さした。「ニクソン大統領とファーストレディのパットで、ホワイトハウスの会見室でテレビを見てるの」

「ぼくは?」まだおむつをしているちびさんがいった。

「あんたはね……えっと……そう、すごくだいじな役だよ。それはね……うんとね……そう、そうだよ、ニクソンのイヌだよ！　チェッカーズっていうんだ。チェッカーズはすごくいいワンちゃんなんだから！」

ちびさんはワンとほえた。ブリジットが頭をなでてやる。りっぱなワンちゃんだ。

「さてと」ブリジットがいった。「わたしはバズ・オルドリン。ノヴァはニール・アームストロング。月面を踏んだ最初の人類だよ。アンソニーはマイケル・コリンズね。宇宙船に待機してるの。それから、スーザンは……そうだね……サリー・ライドだよ」

「なんでよ？」スーザンは腰に手をあてていった。「サリー・ライドは、その月探査機には乗ってなかったじゃない。先月、宇宙にいったばかりだよ！」

「いいの、ごっこ遊びなんだから！」ブリジットは吐きだすようにいった。宇宙遊びをしているとき、だれかに文句をいわれるのは大きらいだ。「じゃあ、かわりにチェッカーズのお守り役にする？　いやなの？　じゃあ、サリー・ライドね。このツリーハウスはアポロ十一号。アームストロング、コリンズ、ライド、さあ、乗船するよ」

ブリジットがするするとはしごをのぼっていく。はしごといっても、木の幹に不均等に打ちつけられた板だ。ブリジットは三分の二ほどのぼったところでとまった。ノヴァがつづく。高さはほんの一メートルもないけれど、ゆっくり慎重に、木の幹にしがみつきながらのぼった。

コリンズとライドもあとにつづく。ライドは「えらそうに」とつぶやいている。

「地球管制官、あんたの仕事はわたしたちを宇宙に送りだすのをたすけることなんだよ。ニクソン大統領はおくさんとイヌをあっちにつれていって。そこでわたしたちが無事に大気圏をぬけだした報告がくるのをまつんだよ。ケネディ大統領はね、死ぬ前に誓ったんだ。一九六〇年代のうちに月にいくって。そして、いまはもう一九六九年も半分おわっちゃってるの。もう時間はない。宇宙に最初にとびだしたロシア人たちに見せつけてやるんだ！　ケネディ大統領のために！」

「ケネディのために！」地球管制官の双子が手をふりあげながらさけんだ。

「ただいま午前九時三十分」ブリジットは腕時計を見るふりをしていった。「打ちあげ二分前」

ノヴァはおなかが痛くなってきた。ごっこ遊びなのはわかっているけれど、ほんとうみたいな気がする。まわりの木々が消えていく。ノヴァはまばたきした。あと二分で雲をつきぬけ、ちっぽけな地球をとびだして、宇宙の暗い深淵へ突入するんだ。こわいけれど、わくわくもしていた。

「テン、ナイン、エイト……」

ノヴァとイヌのチェッカーズ以外全員がカウントダウンをはじめた。

「セブン、シックス、ファイブ……」

ブリジットがノヴァをつついた。ノヴァにもカウントダウンしてほしがっている。

ノヴァはやってみた。

「フォ、ティー、ツー、アン……」

発射(はっしゃ)!

はしごのとちゅうにいた四人が、スペースシャトルのツリーハウスにかけのぼる。ツリーハウスには部屋がふたつあった。はしごをのぼったすぐの部屋には、木の枝から木の枝にわたされた手すりつきのバルコニーがあった。サリー・ライドとノヴァはそのバルコニーにすわって、両脇(わき)へ流れすぎていく星を見ていた。コリンズのアンソニーとバズのブリジットは、操縦室(そうじゅうしつ)のつもりのおくの部屋にいった。

「打ちあげ成功!」ブリジットがさけんだ。「かんぺきな打ちあげだった!」

「やってくれたよ!」ニクソン大統領がおくさんに抱(だ)きついた。「月にいくんだよ、パット!ソビエトより先に。おれたちの宇宙(うちゅう)の塵(ちり)でも食らえ!」

「ニクソン大統領は『おれたちの宇宙(うちゅう)の塵(ちり)でも食らえ!』なんていわないと思うな」双子(ふたご)の地

球管制官のひとりがニヤニヤしながらいった。ほかのみんなも笑っている。でも、ブリジットとノヴァは笑わなかった。宇宙飛行は笑いごとじゃない。真剣な仕事なんだから。

「ふざけるのはやめて！」ブリジットが命じた。「それが失敗の原因になるんだよ」

双子の地球管制官は管制塔にもどって、ドングリのつまみをいじったり、マツボックリでシャトルに話しかけたりした。

「アポロ十一号。こちら地球管制塔。異常はないか？」

バズのブリジットが自分のマツボックリで答える。「地球管制塔、打ちあげから三日。月の軌道をまわっている。すべてのシステムは正常か？　月面への軟着陸は可能か？　われわれは軟着陸を望む。強行着陸は月着陸船イーグルの破壊を招き、生存をおびやかす」

「もちろんわかっている」双子の管制官のひとりがいった。「さあ、着陸準備だ」

「コリンズ、手動操縦だ」バズのブリジットが命じた。「あの岩石をこえて静かの海へ」

「海におりるの？」手すりを強くにぎりすぎて、こぶしが白くなっているサリー・ライドがいった。もしかしたら乗り物酔いをしているのかも。それとも高所恐怖症だろうか。ノヴァはだいじょうぶだよといってあげたかった。ブリジットはいつだって軟着陸を成功させるんだから。

「ほんものの海じゃないんだよね？」ニクソン大統領がたずねた。「着陸後にアームストロングがつけた名前だよね」

「そのとおり」バズのブリジットがいった。「月に水はないんだよ。すくなくとも、まだ発見されてない」

「そっか」サリー・ライドがいった。

「のこりの燃料は三十秒分だけだ」バズのブリジットがいう。バズは目をとじて、着陸の衝撃にそなえた。

「着陸成功！」

安心してノヴァは目をあけた。ブリジットのことは信頼しているけれど、着陸のときにはいつも緊張する。

「アームストロング、地球管制塔につたえてくれ『鷲は舞いおりた』と」

「ワー、マー、タ」

地球管制官とニクソン大統領は拍手喝采している。チェッカーズはしっぽをふりながらほえた。

「旗を立てよう」バズのブリジットが、葉っぱのついた細長い枝をむしりとってノヴァにわたした。「下におりてそれを地面にさすんだよ。そして、こういうんだ。『ひとりの人間にとっては小さな一歩だが、人類にとっては大きな飛躍である』って」

アームストロングのノヴァは慎重にはしごをおりて、白くてほこりっぽい月面に立った。それから、ちゃんとまっすぐに立っているか確認しながら、地面に立てた。

「チー、ッポ」ノヴァは誇らしげにいった。

ニクソン大統領は敬礼している。

地上の観衆の歓声とうれしそうなイヌのほえ声を受けながら、もう一度はしごをのぼっているとき、アームストロングのノヴァの体を、ギギギーというぶきみな音がつらぬいた。ノヴァは息をとめた。

それは、ツリーハウスのおくの部屋のくさった床がくずれおちていく音だった。コリンズ役のアンソニーは、あわてて前の部屋にとびうつったが、ブリジットには手すりにつかまる時間も、近くの枝に手をのばす時間もなかった。ブリジットはくさった床をものすごい勢いでつきぬけて、ひじから地面におちた。立ちあがったとき、ブリジットの腕はおかしな方向にまがっていた。ひじからうしろむきに。

「任務は達成された」ブリジットは笑顔でそういった。おかしな方向にまがった自分の腕を見おろし、アームストロングのノヴァが月面に立てた旗を見る。

ブリジットは、涙ひとつこぼさなかった。

ギプスがつけられると、ノヴァに最初に落書きをさせてくれた。

ノヴァは月の絵を描いた。自分たちが征服したんだから。

ブリジットは、いつだって任務をかならずなしとげた。

ブリジットがいなくなったいま、ノヴァはひとりでやってみようと思った。

学校へいく準備をする時間まで、あと一時間ある。

一時間だ。

「ジョーニー・ローズ」と書かれた木箱には、古いおもちゃがいくつかある。ミスター・ポテトヘッド（プラスチックの体のパーツも全部ばらばらに）、あざやかな色のミニカーも一ダースほど。黄色いヘリコプターのなかには、腕が一本だけのＧＩジョーがいる。派手なピンク色のガウンを着たバービー人形と、トロピカル風の柄のムームーを着た、長い黒髪の二体目のバービー人形も。ルービックキューブに占いができるマジック８ボール、よれよれになったボードゲームがいくつかと、ヨーヨーがふたつ、トランシーバーの片割れに、折れたライトセーバーをもったルーク・スカイウォーカーのアクションフィギュア、そして全身白づくめのプラスチック製のレイア姫も。

ノヴァはにっこり笑った。スターウォーズのファンではないけれど、レイア姫は搭乗科学技術者役にぴったりだ。ルーク・スカイウォーカーとバービー人形、ＧＩジョーには宇宙飛行士役をやってもらおう。トランシーバーはナサベアとの通信には最適の道具だ。ナサベアは人手がたりないときには、いつも地球管制官役をつとめていた。

ノヴァはルークとレイア姫をヘリコプターのなかにおしこんだ。せまくてほかの宇宙飛行士はいれないので、バービーたちとＧＩジョーにはおもちゃ箱のふたの上に待機してもらう。

ノヴァは頭のなかでカウントダウンをはじめた。

テン、ナイン、エイト、セブン……

「地球管制塔」ノヴァはトランシーバーを口にあてて頭のなかでいった。「地球管制塔。応答せよ。こちら、打ちあげ準備完了。どうぞ」

『プロテインをのんで、ヘルメットを装着せよ』地球管制官のナサベアが答える。

ノヴァはレイア姫にうなずかせた。

……シックス、ファイブ、フォー……

音楽をかけようとノヴァはきめた。その方がさびしくない。ノヴァはベッドサイド・テーブルにかけよると、ひきだしからブリジットのウォークマンをとりだした。ヘッドホンをつけてプレイボタンをおす。

デヴィッド・ボウイの声があふれた。曲のとちゅうからはじまったけれど、わざわざ巻きもどすのはやめておいた。

……スリー、ツー、ワン、発射！

レイア姫とルーク・スカイウォーカーは、GIジョーの黄色いヘリコプター兼スペースシャトルで宇宙空間へととびだした。床の上では、地球管制官が幸運を祈るおまじないで、もふもふの指をクロスさせてじっと見守っている。

ノヴァは息をとめた……あともうすこし……

『十万マイルをこえて……』高くとぶ。

やった！

打ちあげ成功だ！　大気圏外へとびだした！

ノヴァは立ちあがって、ヘリコプター兼スペースシャトルを高く掲げ、家具と星々をこえて、部屋じゅうをめぐらせた。地球ではナサベアとＧＩジョー、バービー人形たちが拍手喝采している。

打ちあげ成功！

『……月のはるかかなたで、ブリキ缶のまわりをただよっていると……』

すばやく接近して、着陸にそなえよ！　軟着陸が必要だ。月面への強行着陸は着陸船にダメージをあたえ、乗組員を傷つけるおそれがある。かんぺきな着陸が望まれる。一点のミスも許されない。

ノヴァはベッドにとびのり、ヘリコプター兼スペースシャトルを部屋のまんなかにつるされた白い球体、ライトのカバーへとさしのべた。目いっぱい腕をのばす。背筋をのばす。もうすこしでとどく。あともうちょっとで月にとどく。あともうちょっと……

ドン！　ドアをたたく大きな音にノヴァはびっくりしてしまった。バランスをくずし、ベッドからおちないように両手をふりまわす。なんとかうしろむきに枕にたおれこむことができた。でも、ヘリコプター兼スペースシャトルは運がわるかった。ノヴァの手をはなれ、たんすの角にあたって床におちた。プロペラが折れてしまった。

「なんてこった！」地球管制塔のナサベアがさけんだ。「ヒューストン、トラブル発生」

ノヴァは悲鳴をあげた。スペースシャトルがこわれてしまった。ルーク・スカイウォーカーは地面に横たわっている。レイア姫はどこにも姿が見えない。

部屋のドアがあいた。

「ノヴァ、さっきからノックしてるんだけど？　だいじょうぶなの？」ジョーニーがノヴァにかけよった。ヘッドホンをはずして、全身をたしかめる。熱をみるためにおでこに手もあてた。ノヴァは体をひいた。ウォークマンをベッドサイド・テーブルのひきだしにもどし、両目をぬぐった。体がふるえる。あの歌はおわってしまった。ゲーム終了だ。

「母さんにいわれてきたんだ。学校にいく準備をする時間だよ」ジョーニーはなんとか笑顔をうかべようとしながらいった。「おもちゃのことは心配しないで。あとでかたづけておいてね。遊んでくれて、わたしもうれしいよ」ジョーニーはハワイアンのバービーを手にとって、ムームーをなでた。「ノヴァとおなじ年のころ、わたしはこの人形たちが大好きだったんだ！　この子がいちばんのお気にいり。かわいいと思わない？」

ノヴァは返事をしなかった。「ムン」ともいわない。

「そうそう、きょうはどの服を着ていく？」ジョーニーはバービーをおくとタンスの方にいった。赤白のストライプの長袖シャツと、デニムのオーバーオールをとりだす。「これでどう？」着ていく服なんかどうでもよかった。ノヴァはこわれたヘリコプターを拾いあげた。これまでにも宇宙での突発事故や緊急事態はあったけれど、いつもブリジットがなんとかすくってくれた。自分の腕が折れたときでさえ。あんなことがあっても、任務はなしとげた。ノヴァはヘリコプターをさしだしてジョーニーに見せた。

「どうかした？　プロペラが折れたの？」ジョーニーはすばやくノヴァをハグした。ノヴァは体をひかなかった。「たいしたことないよ！　接着剤でくっつけられるから」

　でも、たいしたことない、なんてことはない。

　これは一大事だ。

カウントダウン❶　一九八六年一月二十七日

ブリジットへ

チャレンジャーの打ちあげまであと一日。

きょうの朝、すごくよくないことがおこった。これから、なにもかもがうまくいかなくなるんじゃないかと心配だよ、ブリジット。きょう、わたしのスペースシャトルがこわれたんだ。月へのミッションはいいスタートをきった。地球管制官はナサベアがやったんだよ。ブリジットのかわりはわたし。みんなに仕事をわりふった。レイア姫とルーク・スカイウォーカーは宇宙飛行士のサリー・ライドとアラン・シェパード役。あともうちょっとで月に到着するところで、わたしがスペースシャトルをおとしてしまった。スペースシャトルをおとしちゃったんだよ！　そして、こわれちゃった！　レイア姫が、つまりサリー・ライドがどこかにいって、見つからない！

朝ごはんのとき、ジョーニーはお別れすることについて話そうとしたし、ビリーは今週末に作るカップケーキのことを話そうとした。フランシーンはそろそろ髪を切りにいく相談をしようとしたけど、わたしの耳にははいってこなかった。脳がいそがしすぎたから。だから、ハミングをはじめて、みんなのことばがおしまいになるまで、どんどん大きくした。

学校では、ほかのことはなにも考えられなかった。特にテストのことなんかは。

これまで、一度も考えたことなかったけれど、『スペイス・オディティ』をきくたびに、トム少佐は行方不明になってたんだね。地球管制塔から何度も何度も呼びかけているのに、トム少佐にはきこえていない。いつだって。

わたしはピアース先生に集中したかった。ほんとだよ、ブリジット。だけど、わたしは迷子になってしまったんだ。トム少佐みたいに。ブリジットみたいに。

どんどんわるくなって、わたしはとうとう爆発した。

わたしは自分の席にいた。

だれかが、ずっといっている。「ノヴァ！　ノヴァ！」何度も何度も何度も。でも、わたしにはきこえない。

わたしは両手で耳をふさいだ。

耳のなかでひびくその声がいやだった。わたしはブリジットがうたうデヴィッド・ボウイだけをきいていたい。

作業台の椅子でバディがぴょんぴょんとびはねている音がいやだ。マロリーが長い爪で机をたたく音がいやだ。アレックスのおしゃべりも、メアリーベスのささやき声も、ルークが算数の問題をまちがえたときにだすうめき声も、トーマスが鼻をすする音も、マーゴットの車椅子の左の車輪が立てるキーッという音もいやだ。

暖房機の音も、窓の外のつめたい雨の音も、八年生のランチのベルも、椅子が床をひっかく音も、廊下からきこえる食堂にむかう子たちの足音も笑い声もいやだ。

うるさい、うるさい、うるさいよ！　いなくなった人が多すぎるよ！

ママとパパ。レイア姫とトム少佐。ブリジットとわたし。

わたしの血は溶岩になって、わたしを内側から焼いて外にあふれだしてきた。どこにも行き場がなくてブクブク泡を立てながら。息ができない。ヘルメットにひびがはいったみたいだ。酸素がにげていく。窒息しちゃう。

わたしたちの宇宙飛行用のヘルメットのこと、おぼえてる？　ママの家のスペースシャトルだったクローゼットにおいてきたよね。白い月の風船も、懐中電灯も地球儀も。どうしてもってこなかったんだろう？　いっしょにもってこなくちゃいけなかったのに。

わたしはまた泣きはじめた。幼稚園の赤ちゃんみたいに。

ブリジットがいなくちゃだめなんだ。

ブリジットとわたし、ナサベアとスペースシャトル、それに月もいっしょじゃないとだめなんだよ。

わたしは片手で片方の耳をおおって、もう片方の耳を肩におしつけた。それから、あいてる手で、頭の横を一、二、三、四回たたいた。でも、なにも変わらない。まだ、息ができなかった。だから、のどをつかんだ。つかんで、ひっかいて、爪を立てて、酸素をとりもどそうとしたけれど、こわれたヘルメットに空気はない。

チェンバーズ先生がわたしの手をおさえた。ピアース先生は息をしなさいといっている。

みんなわかっていないんだ。

手をおさえる必要なんてないし、息をしなさいといわれる必要もない。

わたしに必要なのは、救助隊だ。地球管制塔からの救助が必要なんだ。

ブリジットの声が頭のなかできこえた。わたしは月じゃなくて地球にいるんだよって。それが問題なんだよっていう。ヘルメットじゃなくて。問題なのは、わたしがまだ地球にいて、脱出しなくちゃいけないっていうこと。だからわたしはカウントダウンをはじめた。だけど、あまりにもたくさんのことが頭のなかをかけめぐっていて、ちゃんと数字がききとれない。

テン、ナイン、エイト……

「ノヴァがいつでも影みたいにつきまとっていても……」

……セブン、シックス、ファイブ……

「ナサベア？　それがこの子の名前なの？」

……フォー、スリー、ツー……

「ノヴァがわたしたちのところにいることをよろこんであげてください。わたしたちもうれしいんです」

……ワン……

「ベツィーナさん、おちついて」

発射(はっしゃ)……

ブリジットがうたっている。『スペイス・オディティ』を。

わたしはふわふわとただよっていく。ほこりっぽい月の静かの海の上に。スペースシャトルのとなりの席にはブリジットがいると思ったのに、もう一度見たら、わたしはひとりっきりだった。

ブリジット、どこにいるの？

ブリジットがいないと、わたしは宇宙(うちゅう)で迷子になっちゃうよ。

学校帰りの車のなかで、フランシーンはすごく心配していた。わたしはメルトダウンしたんだといった。それから、自分で自分を傷つけないで感情をコントロールする方法を、いっしょに考えようねといった。

家に着くと、おやつはぬきにした。レイア姫を見つけなくちゃいけないから。わたしはこわかったの、ブリジット。もう見つけられないんじゃないかと思って。そして、思ったんだ。もし、このままレイア姫を見つけられなければ、もうブリジットを見つけることもできないんじゃないかって。

フランシーンが部屋にはいってきたとき、わたしはまださがしていた。

「ジョーニーからのメモがカウンターの上にあったの。さびしくなるけど、週に一回、電話をするし、手紙も書くって。すてきだと思わない？　それから、プロペラもくっつけていったよ。きょうの朝、こわれたの？」

フランシーンはヘリコプターをもっていた。

わたしは受けとろうとかけよった。でも、手がふれる前にすばらしいものが見えた。プラネタリウムとおなじくらいすばらしいものだ。ヘリコプターのなかに、レイア姫がいたんだ。そう、サリー・ライドが。きっと、ずっとそこにいたんだ！

行方不明になんかなっていなかった。

わたしはレイア姫をヘリコプターからひっぱりだして、ぎゅっと抱いた。それから、泣いて泣いて泣いた。かなしいんじゃなくて、幸せだったんだけれど。

わたしはもう二度となくしたりしないと約束した。ほんとだよ。わたしはブリジットとおなじように、けっして約束を破らないんだから。

わたしたちがにげだしたあの日の夜、ブリジットは約束したよね。たとえ、はなればなれになっても、かならずもどってくるって。チャレンジャーの打ちあげをいっしょに見るって約束した。この太陽系のすべての惑星にかけて、この約束は守ってくれるよね。

チャレンジャーの打ちあげはあしただよ、ブリジット。

いま、どこにいるの？

宇宙で迷子になってないよね？

あいたいよ。

スーパー・ノヴァより愛をこめて

11

興奮のあまり、朝の四時ごろまで眠れずにいたノヴァは、疲れ切っているはずなのに、ベッドからとびだすようにパッとおきた。まるで、緊急脱出シートではじきだされたように。

新聞の一面には「打ちあげ」の文字があった。

ビリーはスクランブルエッグとベーコンを前にして、大きな声で記事を読みあげた。

「『悪天候とその他の問題点から数度にわたる遅延が発生したが、本日ついにスペースシャトル・チャレンジャーの打ちあげがおこなわれることになった。……CNNの衛星ネットワークを通じて、全米の教室で、児童生徒たちからの熱い視線がむけられるだろう。六日間のミッションの三日目には、教師であるクリスタ・マコーリフによる宇宙授業が十五分ずつ二度予定されている。しかし、生徒たちへの彼女の大切な教えはすでにつたえられたともいえる。夢をおいつづければ、それがどれほど遠いところにあっても、いつか手にいれることができる、という教えだ』」

ノヴァはキーッとよろこびの声をあげ、椅子の上でとびはねた。その新聞には、ブリジットがいっていたのとおなじことが書かれていた。チャレンジャーは子どもたちに、だれだって夢をもっていいんだ！　ということを教えたといっていた。だれだって、星に手がとどく！　一生懸命がんばって、心から強く望めば、だれもが宇宙へとびだすことができるんだ！

ナサベアをきつく胸に抱きしめたノヴァは、興奮しすぎて、とても朝ごはんを食べるどころでなかった。とうとう、フランシーンが靴をはいてでかける時間だと告げた。靴ひもを結ぶのはビリーだ。

車で学校にむかうとちゅう、フランシーンは「メルトダウン」について、もうすこし話しあいたいといった。

「わたしは心配なの。あなたがどうしてメルトダウンをおこしたのかを知っておけば、この先、避けることもできるでしょ？　避ける、の意味はわかるよね？　なにかを避けるっていうのは、そのなにかに近づかないようにしたり、そのなにかがおこらないようにすることだよ」

「ムン」ノヴァは答えたが、半分もきいていなかった。頭のなかで『スペイス・オディティ』がなりひびき、自分がチャレンジャーに乗りこむところを思い描いていたからだ。

「パニックがおこりそうになったときにそなえて、深呼吸をする練習をしたらいいんじゃないかな？　深呼吸はできる？」フランシーンは大きな音を立てて息を吸いこみ、ゆっくり吐きだした。風船にあいた小さな穴から空気がもれるような音がする。フランシーンはちらっとノヴァを見て、また道に目をもどした。「やってみて。深く息を吸って、ゆっくり吐くんだよ」

ノヴァはいそいで息を吸いこんで、パッと吐きだした。車のなかは寒くて、息が白くなった。

「もう一回」フランシーンがうながす。「深く吸って、ゆっくり吐くの。圧倒されたときにそうすれば、メルトダウンを避けられる」

ノヴァはすばやく三回、息を吸って吐いた。はやく頭のなかの宇宙遊泳にもどって、ゆったりしたいので、めんどうくさかった。じょうずにできたからなのか、あきらめてしまったのか、そのあと、フランシーンはなにもいわなかった。

朝の輪の前に、フランシーンはもう一度、メルトダウンについてピアース先生とチェンバーズ先生と話したがった。そこでノヴァは、じゅうたんの上で音楽マーゴットとふたりきりになれた。マーゴットはいつもどおり車椅子にすわっている。

だれも見ていないのをたしかめてから、ノヴァはマーゴットの正面に進みでた。

「ハイ」

マーゴットはことばでは返事をしなかったが、微笑んだ。

「ヘパ？」ノヴァはいった。ヘルプしようか？　たすけようか？　という意味だ。マーゴットはまた返事をせずに微笑んだままだ。そこでノヴァは両手でマーゴットの顔をはさみ、まっすぐになるまでやさしく動かした。手伝ってもらってうれしそうだったが、ノヴァが手をはなすと、マーゴットの頭はまたすこし左にかたむいた。ノヴァは目を細めて、もう一度はじめた。

二度目も頭はすぐにかたむいてしまったが、マーゴットは声をあげて笑った。くすんだ青い目も笑っている。それが笑い声だとわかったのは、ノヴァ自身の笑い声とよく似ていたからだ。

もう一度やろうとしたとき、ノヴァはふと思いついた。マーゴットの頭はちゃんとまっすぐにはならないのかもしれない。バディがじっとしていられないのや、メアリーベスがことばをはっきりと発音できないのとおなじように。そして、ブリジットがブリジットのことを少年院にいるべきだと思っている里親のもとにいられないのとおなじように。そこでノヴァは、かわりにマーゴットの手をにぎった。ふだん自分の手と他人の手がふれるのは好きではないのだけれど。

「マムンアー？」ノヴァはマドンナといいたかった。ピアース先生がマーゴットの好きな歌手はマドンナだといっていたからだ。マドンナはブリジットが好きな歌手のひとりでもあった。マドンナのテープをもってきて、マーゴットといっしょにきいたらいいかもしれないと思った。ノヴァはマーゴットの手をもちあげて、ハイタッチのように手のひらと手のひらを合わせた。マーゴットの笑顔がさらに大きくなったけれど、頭は胸につきそうなくらい前にかたむいた。

「ノヴァ！　気をつけてちょうだい！」チェンバーズ先生が近づいて、マーゴットの頭をやさしくもとにもどし、朝の輪のいつもの位置に車椅子をおしていった。ノヴァはアレックスとマロリーのあいだにすわったけれど、もぞもぞと体が動いてしまうのをとめられなかった。忠誠の誓いのときには、ぼんやりしていて二度立つようにうながされたし、黙祷の時間には、うっかり声をだしてしまった。それがおわると、それぞれの机にもどった。ノヴァはピアース先生のテストを受けるときにも、ぜんぜん集中できなかった。自分の名前のなかの文字さえも、ちゃんとえらんで答えることができなかった。

「興奮してるのはわかるわよ、ノヴァ。でも、お願いだからおちついて、もうすこしがんばって」ピアース先生は頭痛がするとでもいうようにこめかみを指でさすりながらいった。「先週末、フランシーンからあなたがどれほどことばや文字をよく知っているか、きかされたの。だけどね、あなたがどこまでわかっているのかを、ちゃんとわたしにも見せてくれないと、これからなにを教えたらいいのか、わからないでしょ」

ノヴァはがんばろうとした。でも、興奮しすぎて、すぐに気がそれてしまい……フランシーンが何度もつかっていたことばを思い出した。「圧倒される」そう、そのことばがぴったりだ。ノヴァは圧倒されていた。そのせいで、ピアース先生がＮをえらぶようにいったとき、ノヴァはＭを手わたし、ＱのときにはＯをわたしてしまった。さらにはＺのときに似ても似つかないＨをわたした。ついにはイライラがつのって、椅子の上ではねながら、怒りの「ムン」という声をあげはじめた。

「深呼吸をしてみたら？」ピアース先生がいった。「けさ、とってもじょうずに深呼吸ができたってきいてるわよ」

ノヴァは深呼吸をした。でも、役に立たなかった。

ようやく、テストがおわる時間になった。

「みなさん！」ピアース先生が手をたたきながらいった。「朝の輪にもどってください。きょう、スペースシャトル・チャレンジャーの打ちあげがあるのは知ってますね？　そこで、きょうは特別ゲストをお招きして、お話をうかがいます！」

ノヴァは目を大きく見ひらいて首をかしげた。特別ゲスト？　もしかしてブリジット？　ノヴァはわくわくして手を動かしながら、朝とおなじ場所、アレックスのとなりにすわった。

「宇宙飛行士かも」アレックスがいった。「ほんものの！」

「ワレンチナ・コルヌコピアかもよ」マロリーがいった。「宇宙にいった最初の女の人だよ」

ノヴァは、首をふりふり大声をあげて笑った。ピアース先生は以前、最初に宇宙へいった女の人について書かれた本を読んでくれたことがあった。一九六三年に地球のまわりを四十八回まわったロシアの宇宙飛行士だけれど、名前はワレンチナ・コルヌコピアじゃない。ワレンチナ・テレシコワだ。

「なによ？」マロリーは怒りで目をぎらぎらさせていった。「なにがそんなにおかしいのよ？」

ノヴァはもう一度首を左右にふったけれど、まちがいを正す方法がない。なので、ピアース先生に、全員口をとじて、体も動かさないでといわれると、ノヴァはナサベアのおなかに手をまわし、クスクス笑いをおさえた。マロリーももうおこってはいないようだ。肩をすくめ、にっこり笑うとノヴァのとなりにすわった。

みんなが暗記するマナーのリストに書かれているように、口をとざし、耳をそばだて、体も動かさずにおちつくと、ピアース先生は、ドアの脇に立っていたチェンバーズ先生にむかってうなずいて合図をした。チェンバーズ先生がドアをあけた。ノヴァはナサベアをぎゅっと抱き、息をとめた。

ブリジット？

でも、にこにこしながらはいってきた女の子はブリジットではなかった。

「みなさん、こちらはステファニーです。となりにある高校の生徒で、天文学と宇宙旅行について勉強しています。将来、ＮＡＳＡで働きたいと思っているのよ。みなさんのなかにも、ＮＡＳＡで働きたい人はいますか？　さあ、手をあげて！」

ノヴァは椅子からぴょんと立ちあがり、両手をあげ、キーッとさけんだ。ブリジットではなかったけれど、ステファニーにあえてうれしかった。うすらひげルークとマロリーも手をあげた。ふたりとも片手だけだったけれど。

「先週、いっしょにプラネタリウムにいったので、ステファニーとノヴァは、もう知り合いね。でも、ほかのみんなも自分の場所でひとりずつ自己紹介しましょうね」ピアース先生がそう話しているあいだに、チェンバーズ先生がノヴァに席につくよう合図した。「それでは、バディから。お名前は？」

半円のはじにいたぴょんぴょんバディは、片手の手のひらを胸のまんなかにあて、そのあと、両手の人差し指と中指でXを作り、左手の親指を折って、手のひらを外にむけ、のこりの四本指を左右にふった。

「これは手話で、『ぼくの名前はバディです』といってるんだ」マローン先生がバディにグミを手わたしながら説明した。ノヴァはものすごくうらやましかった。バディみたいに手話で話せたら、最初に宇宙にいったのはワレンチナ・テレシコワだとマロリーに教えてあげられるのに。

ノヴァはため息をついた。ノヴァはナサベアを抱きしめた。そして、ナサベアが話しかけるところを空想した。「ねえ、ノヴァ、おちこまないで。ぼくの声がきこえる人なんてだれもいないし、ぼくが書いた字を読める人だっていないんだから」

ほかのみんなも自己紹介をおえると、ステファニーは三つ折りの大きな黒い厚紙をひろげた。朝の輪のイーゼルに立てかけるのは、マローン先生が手伝った。ノヴァはキーッとよろこびの声をあげたり、とびはねたりしないように必死にがまんした。それはすごくきれいだった。太陽系のポスターとおなじくらいきれいだ。

まんなかのパネルには、光沢のある大きなスペースシャトルの切りぬきがあった。その下には七人の宇宙飛行士のカラー写真が貼ってある。全員が青いユニフォームを着て、ヘルメットをかかえている。ほかにも何枚も写真が貼ってある。テレビで放送されて有名になった、月面着陸のときに立てられたアメリカ国旗の写真や、アポロ八号が撮影した月ごしに見える地球の写真もある。上の方は青や緑にかがやいているのに、下半分は暗く影になっている地球だ。それから、ブリジットがフォルダーにしまっていたのとおなじ、サリー・ライドが微笑んでいる写真も。

左側のパネルには星に囲まれた白い文字のリストがあった。「宇宙旅行クイズ」というステファニーが書いたリストだ。

右側のパネルには新聞の切りぬきがたくさん貼ってある。そのなかにはノヴァも家にもっているものがあった。「チャレンジャー打ちあげの真実」という見出しの記事で、ノヴァは丸暗記していた。

「それでは、宇宙旅行クイズからはじめましょう！」ステファニーが微笑みながらいった。

「世界で最初に宇宙にいったのはだれ？　どこの国の人？」

ノヴァは不満げな声をあげた。またそれ？

「ユーリー・ガガーリン！」マロリーがさけんだ。「ロシア人！　オライリー先生の授業で習ったよ」

「正解です！」ステファニーはマロリーにピンク色の小さな四角いものを手わたした。かたい綿あめみたいに見える。

「クイズに正解した人には、宇宙飛行士のアイスクリームをさしあげます。フリーズドライのアイスクリームなんだよ。フリーズドライっていうのは、冷凍した食品を真空にして、水分をぬくこと。みんなの分があるから心配しないで！」

ノヴァはマロリーをじろっとにらんだ。こんなの不公平だ。宇宙飛行士のアイスクリームをいちばんほしいのはわたしなのに！　だって、わたしは宇宙のことならいちばん知ってるんだから！

「つぎのクイズです。最初に宇宙にいった女の人はだれでしょう？」ステファニーがいった。

「ワレンチナ！」マロリーがさけんだ。

コルヌコピアじゃなくてね。ノヴァはそう思った。

「コルヌコピア！」マロリーがつけたした。

「ムン」ノヴァはうめき声をあげた。同時に胸の前で腕をぎゅっと組んだので、ナサベアがひざからおちそうになった。

「おしい！　正解はワレンチナ・テレシコワです。この人もロシアの宇宙飛行士だよ」

ぜんぜんおしくないよ。ノヴァは思った。

「手をあげるのをわすれないでね」ピアース先生がやさしくいった。「それから、ほかの人にもチャンスをあげましょう」

「それでは、最初に宇宙にいったアメリカ人は？」ステファニーがアレックスの方を見ていった。アレックスの顔がぱっと明るくなった。「知ってる？」

「知ってる！」アレックスがいった。「アランだよ。アレックスと似てる！　本で読むだよ。

そうだよねピアース先生？」

「読むだ、じゃなくて読んだ、だね」マローン先生がやさしくいった。

「本で読んだよ」アレックスがいいなおした。「アラン」

「正解です！」ステファニーはうれしそうだ。「アラン・シェパードですね。それと、ジョン・グレンがはじめて地球のまわりをまわりました」ステファニーが白くて小さな四角のものをアレックスに手わたすと、アレックスはすぐに口にいれた。マロリーはピンクの四角をまだ手にもっている。

「それでは、宇宙にいった最初のアメリカ人女性は？」ステファニーがたずねる。「ヒントは一九八三年ってことです。ロケットの名前もいえたら、ボーナスポイントをさしあげます」

「アー！」ノヴァはさけんでぴょんと立ちあがった。ナサベアは床におっこちた。「アー！」

解答の許しがでる前に、そして、チェンバーズ先生に席につくようにいわれる前に、ノヴァはステファニーのボードにかけより、右手でにっこり笑ったサリー・ライドの写真をたたいた。それから、左手の指さきでチャレンジャーの切りぬきを何度もたたいた。

「アー！」ノヴァは何度も何度もそうくり返した。「アー！」

「よくできました、ノヴァ！　正解です！　宇宙にいった最初のアメリカ人女性はサリー・ライドです。サリー・ライドはチャレンジャーで二度宇宙にいきました。きょう打ちあげられるのとおなじチャレンジャーで！　ノヴァは専門家ね。きっと、宇宙のことをわたしよりもっとたくさん教えられるんでしょうね！」

「ムン、アー！」ノヴァはみんなの方に顔をむけながら両手を打ちならした。そして、ドアの方をちらっと見た。そこにブリジットがいるのを期待して。ほかの子たちに宇宙のことを教えている姿を見てほしかった。専門家ぶりを見てほしかった。

「はい、アイスクリームをどうぞ！」

ノヴァはやわらかい茶色の四角を受けとった。チョコレート味だ！　それから、席にもどった。まずはナサベアにちょっぴり食べさせてから、のこりを自分の口にいれた。その瞬間、授業のことが頭から吹っとんだ。ものすごくふしぎな感じだ。つめたくはない。なのにつめたい。口のなかでアイスクリームみたいにとけるのに、トロっとしたアイスクリームの味とはちがう。変な感じだけどおいしかった。

「すごいわね、ノヴァ！」チェンバーズ先生がノヴァの肩を抱きながらいった。「あの答え方、すごくよかったわよ！　すごくかしこかった！」チェンバーズ先生の顔が赤くなっている。ノヴァは肩を抱かれているのは好きじゃなかったけれど、「すごくかしこかった」といわれるのはうれしかった。

ノヴァはちらっとピアース先生の方を見た。とてもうれしそうに微笑んでいるのに、目には涙をうかべていて、なんだかふつりあいだ。ノヴァはチョコレート味の宇宙飛行士用アイスクリームと授業に意識をもどした。ステファニーはクイズをつづけ、宇宙旅行や今後予定されている計画について話している。もちろん、チャレンジャーのことも。

「最初のアメリカ人女性だけじゃなくて、チャレンジャーは最初のアフリカ系アメリカ人宇宙飛行士も宇宙に送りだしたんですよ。ギオン・ステュアート・ブルーフォード・ジュニアです。きょう宇宙にいく飛行士のなかには、ＮＡＳＡに参加する前、このニューハンプシャー州で働いていた女の人がいますが、そのクリスタ・マコーリフの職業を知っている人は？」

もちろん、ノヴァは知っている。でも、最初に手をあげたのはおとなしメアリーベスだった。

「先生です」指名されたメアリーベスはささやくように答えた。ピンクの宇宙飛行士用アイスクリームを受けとると、ささやくように「ありがとう」といった。

「さあ、みなさん、これでチャレンジャーがいろいろな意味で特別だってことが、よくわかったでしょ？　チャレンジャーはケネディ宇宙センターに最初に着陸したスペースシャトルでもあるんです！」ステファニーはそういいながら、ひとつの新聞記事をトントンたたいた。「きょうの打ちあげは十時ちょうどに予定されていて、百四十四時間三十四分後、だいたい六日後に地球にもどってきます」

ノヴァは小さく胸をはった。ステファニーが教えてくれたこと全部を知っていたわけではないけれど、これは知っていた。

ステファニーはさらにクイズをつづけた。すごくむずかしい問題も、すごくかんたんな問題もあったけれど、結局、全員がアイスクリームをもらった。マーゴットだけはチューブから食べ物をとっているので、かわりに土星のシールをもらったけれど。

最後にピアース先生がステファニーにお礼をいってハグをした。それから、みんなに立ってのびをするようにいった。いよいよ、打ちあげを見るためにテレビのある教室にむかう時間だ。

廊下を進むノヴァのハミングはだんだん大きくなり、ぱたぱたという手の動きもどんどん大きくなった。心のなかでは、この日の朝をかんぺきにしてくれたできごとをひとつひとつカウントダウンしていた。

テン――新聞から七人の宇宙飛行士の写真を切りぬくのを、ビリーが手伝ってくれた。

ナイン――フランシーンがフロリダはいい天気だと教えてくれた。これ以上の遅延はないっていうことだ。

エイト――打ちあげ用のいちばんお気にいりの服を着ている。

セブン――マーゴットの頭をまっすぐにするのを手伝って、マーゴットを笑わせた。

シックス――寝ているあいだに洗ってもらったので、ナサベアがいいにおいになった。

ファイブ――いまでは友だちが五人もいる。マロリー、アレックス、メアリーベス、バディ、そしてマーゴットだ。

フォー――ステファニーがみんなの前で宇宙の専門家だといってくれた。

スリー――クイズに答えて、サリー・ライドのボーナスクイズにも正解した。

ツー――もうすぐ、クリスタ・マコーリフが宇宙にいった最初の先生になる瞬間を見る。

ワン――ブリジットはここにむかっている。そう約束したんだから。

十のできごとのうち、どれがいちばん自分にとってすごいことなのか、ノヴァにはきめられなかった。
そうじゃない。
ちゃんとわかってる。
もう一度、ブリジットにあえることだ。
それがいちばんにきまっている。
それも、もうすぐだ。

発射(はっしゃ)　一九八六年一月二十八日

ブリジットへ
チャレンジャーの打ちあげまで0日。
いま、学校にいる。もうすぐだよ。ブリジットをまってる。チェンバーズ先生とマロリー、メアリーベスとわたしとで、オライリー先生の教室でテレビを見ている。前にもいったように、ジェファーソン・ミドルスクールの一階、六年生棟(とう)の、『テラビシアにかける橋』のポスターの先にある一〇六号室だよ。

オライリー先生は新品のデジタル時計をもっている。ふつうの丸い時計だと時間を知るのはとてもむずかしいけど、デジタル時計だとわかりやすくてうれしい。

いまは11：15。

おくれないでよ。

わたしは星みたいな銀の水玉模様の青い長袖シャツの上に、「小さな一歩」のTシャツを着てる。それから、ブリジットの海王星色の石の指輪もしてる。きょうのために特別にえらんだ服だ。クリスタ・マコーリフやロナルド・マクネアみたいな青むらさき色のNASAのジャケットがあったらよかったのにな。

いまは11：21。

ナサベアも準備万端。プラスチックのヘルメットをかぶって、いつもどおりの白いNASAのTシャツを着てる。ナサベアはすごく興奮してるけど、心配だって。ブリジットがまにあわないんじゃないかって思ってるんだ。わたしは太陽系のすべての惑星にかけて、ブリジットはぜったいにくるっていってるんだけど。

ブリジットは約束したんだから。

いまは11：25。

ブリジットはまだこない。わたしも心配になってきた。

テレビで見るスペースシャトル・チャレンジャーは、おもちゃみたいだ。新聞の写真でクリスタ・マコーリフがもっていた模型みたい。チャレンジャーは両脇に三角形の翼がついた白い筒だ。大きな茶色の弾丸みたいな筒の両脇に、おなじような形の白い小型の筒がついていて、チャレンジャーはそこにはりついているみたいだ。左の翼には黒いUSAという文字の下にアメリカ国旗がついている。右の翼にはナサベアのTシャツについているのとおなじNASAのロゴがついていて、その下にチャレンジャーって書いてある。とてもきれい。ブリジットが何回も描いてくれたスペースシャトルとそっくりだ。ブリジットの絵ではNASAのかわりにVEZINAと書いてあったし、チャレンジャーのかわりにノヴァブリジットって書いてあったけど。

11：29。

じっとしているのがむずかしいけど、動きすぎたらチェンバーズ先生に肩をつかまれて「おちついて」っていわれるのはわかってる。肩をつかまれるのは大きらいだ。ぴょんぴょんはねたくて、足がむずむずする。ちょっとだけ体をゆするのはだいじょうぶだと思う。

11：32。

まにあわないよ、ブリジット。

あともうほんのほんのほんのちょっとで、宇宙飛行士たちはロケットで宇宙にとびだすのに、ブリジットはまにあわないかもしれない。

いまこれを書いているのは、あとでブリジットがなにがおこったのかちゃんと知るため。

テレビのスクリーンがぼやけて、砂嵐みたいになってしまった。

オライリー先生がテレビの横をたたいた。

画像がちゃんともどった。

「これでよし」オライリー先生はそういって、机にもどってすみに腰かけた。「全部のクラスにCNNが映ってるのに、うちのクラスのは故障しそうだ」

「だいじょうぶだっていってよ！」いちばん前の列のまんなかにすわっている、ジェレミアっていう金髪の男の子がさけんだ。マロリーはその子のことをクラスのピエロだといっていた。

ジェレミアは両手を心臓にあてて、椅子からころげおちた。男の子が何人か笑った。オライリー先生も笑った。わたしは笑わなかった。だっておかしくないから。宇宙旅行は真剣な仕事なんだから。

今度はべつのことですごく心配になってきた。もし、テレビがこわれたら？　打ちあげを見のがしてしまう。それに、もしブリジットがまにあわなかったら、ブリジットが見のがしてしまう。ずっとまちつづけてきたのに、わたしたちはふたりとも打ちあげを見られないかもしれないんだ。

「わくわくするわね、ねえノヴァ？」チェンバーズ先生がいった。「里親のお母さんから、ノヴァは宇宙のことが大好きだってきいてるのよ」

この人にはわかるはずがない。

ももがぴょんぴょんはずむ。どうしてもとめられない。子犬がほえるみたいなキャンキャンという高い声がきこえた。その声が四回きこえたところで、自分がだしている声だと気づいた。こんな声をだしたのははじめてだ。じっとしていられない。わたしは火山だ。噴火しそう。でも、おこっているわけじゃない。足の爪先から鼻先まであふれているのは怒りの溶岩じゃない。

それはわくわくするうれしい溶岩だ。興奮の溶岩。圧倒される。

「深呼吸をしてみようか、ノヴァ」チェンバーズ先生がいう。でも、深呼吸はしたくない。チャレンジャーの打ちあげを見ていたい。ブリジットにもいっしょに見てほしい。ブリジットには見のがしてほしくない。

「深呼吸よ、ノヴァ」チェンバーズ先生がもう一度いった。その声をふさごうと耳を手でおおった。

11:35。

11:36。

11:37。

いま、どこにいるの、ブリジット?

時間だ。

12

教室のみんなが大きな声でカウントダウンをはじめた。

「テン、ナイン、エイト、セブン、シックス……」

「メイン・エンジン、始動」テレビのアナウンサーがいう。

ノヴァは教室のドアに目をむけた。きっと、いまにもドアがあいてブリジットがかけこんできて、いっしょに見るんだ。約束したんだから。

約束したんだから。

でも、ドアはあかなかった。

「……フォー、スリー、ツー、ワン……」

ノヴァは教室の前のテレビにすばやく目をもどした。炎(ほのお)を噴(ふ)きだしているシャトルの下の部分に焦点を合わせる。

発射。

シャトルの下の方から、マシュマロのような白い煙がモクモクと舞いあがる。そして、そこから黄色っぽいオレンジ色の炎が太い筋になってのびていく。赤茶色の弾丸型の発射装置にくっついたスペースシャトルがのぼっていくなか、灰色がかった青い空を背景に、黒い点々に見える鳥たちがあらゆる方向にとんでいく。チャレンジャーは発射台をはなれた。ぐんぐん高くのぼっていく。一秒ごとに大気圏外にむかっている。

地上ではたくさんの人たちが歓声をあげながら写真を撮っている。

「三基のエンジンは正常に稼働」アナウンサーがいう。シャトルの下からは彗星の尾のような炎が噴射しつづけている。いまや背景の空の色は、濃い青、フランシーンの目のように真っ青だ。

「この声は広報官のスティーブ・ネスビットだよ」オライリー先生が説明する。あとで提出するレポート用にメモをとっている子もいる。ノヴァは書きとめない。ノヴァはメモしなくてもわすれない。どの瞬間も、どんなにささいなことも、けっしてわすれない。わすれるわけにはいかないんだから。

だれかがブリジットにつたえなくちゃいけないんだから。

炎の柱、雲、そして、彗星の尾のようにスペースシャトルをおいかける煙。打ちあげから一分たった。

「ＮＡＳＡの想定以上のたびかさなる遅延ののち、ついに二十五回目のスペースシャトル計画が順調に……」アナウンサーがいっている。スクリーンにはそのアナウンサー、ＣＮＮの特派員トム・ミンティアが映しだされた。

打ちあげ成功だ！　スペースシャトルは大気圏外にむかっている。ノヴァはおさえきれずに椅子から立ちあがり、手をぱたぱた動かしながらキーッとよろこびの声をあげた。チェンバーズ先生が「すわってちょうだい！　深呼吸をして！」というのも無視した。じっとすわってなんかいられない。深呼吸なんかしていられない。どんどんのぼる。どんどん、どんどん太陽に近づく。星々に近づく。どんどん、どんどん、高く、高く……。

ミンティアの声がつづく。「けさも、打ちあげは困難とみられていましたが……」

打ちあげから一分三十秒たった。

と、とつぜんの爆発。

チャレンジャーが爆発した。

ノヴァの手からナサベアがころがりおちた。両手をにぎりしめる。

スクリーンには、スペースシャトルが爆発して、炎と破片が四方八方へとびちるようすが映しだされている。

だめ！

こんなの、ありえない。

でも、おきてしまった。

煙のかたちは、『星の王子さま』にでてくるゾウを食べたあとのヘビみたいだった。細い白い線がわかれて口になって、くねくねした長いしっぽがつづく。まんなかには丸いボールが見えていて、ノヴァには、ぎょろっと動かしたゾウの目玉みたいに見えた。

おっとっと。ぼく、食べられちゃったよ。

「どうやら、爆発によって、シャトルの両脇のロケットブースターが吹きとんだようです」ＣＮＮ特派員の声がする。

空にうかんだ火のかたまり。そこから無数の破片や煙があちらこちらへととびちっている。スペースシャトルの姿はあとかたもない。グレーのかたまりが横からはがれおちていく。あれは宇宙飛行士のキャビン？　それともとびちった破片？　どこかにいってしまった。もうなにもない。

スクリーンにはそれ以外、スペースシャトルの痕跡はなにもなかった。煙になってとびちってしまった。

カメラが大きくむきをかえた。

「重大事故が発生したもようです」ＮＡＳＡのアナウンサーがいった。

地上では群衆が息をのんでいる。

教室では生徒たちが息をのんでいる。

テレビにはクリスタ・マコーリフの両親の顔が映しだされた。それから、ふたりのうしろの、自分たちとおなじような生徒たち。両親にも生徒たちにも、まだかなしみは見えない。ただ、ぼうぜんとしている。

ノヴァは息ができなかった。息をできる人なんている？

「およそ四十五秒前、空に巨大な火の玉が……」テレビから声がする。

濃い青の空を背景に、スペースシャトルから地球にむかって、白い煙の筋が流星雨のようにふりそそいだ。ノヴァには自分の頭の上の空にもその煙が見えるような気がした。大気にふりそそぐ灰のにおいがするような気がした。腕にピリッとした空気を感じる気がした。ノヴァは「小さな一歩」のTシャツのなかで、ぶるぶるふるえた。安全な教室でCNNの番組を見ているのではなく、フロリダの観覧席でぼうぜんと大惨事に見いっているような気がした。

「宇宙船操縦技師より、スペースシャトルが爆発したとの報告を受けました」テレビの声がいう。「現在、救出の可能性を検討中です」

「アー、ダン」ノヴァはささやいた。

「ノヴァ?」チェンバーズ先生がノヴァの腕にやさしく手をおいた。ノヴァはさっと手をひいた。「ノヴァ? いまなにかいったの?」

ノヴァは首をふった。いうことなんかなにもない。できることはなにもない。もう、なんにものこっていない。望みなんて、もうなにもない。

ねえブリジット。

ブリジットとわたし。ナサベアとわたしたちのスペースシャトル。そして、あの月。

「生存者については、まだ報告がありません」べつのアナウンサーがいった。ノヴァはこぶしをにぎりしめる。

「生存者だって?」クラスのピエロ、ジェレミアがいった。「いったい、どうやって生きのこるっていうんだよ」

オライリー先生が首をふりふりいった。「すごく、……すごく残念だよ」先生の声はふるえていた。「生存者はいないと思う。ほんとうに残念だよ」

もちろん、生きのこった人なんていない。ノヴァも思った。チャレンジャーは爆発したんだから。

爆発から二分たった。

二分三十秒。

二分四十五秒。

「水面に落下物を確認」テレビの声がいう。

頭のなかのスクリーンに何度も何度も何度もくり返される爆発の瞬間をとめようと、ノヴァは一、二、三、四回首をふった。でも、むだだった。

「脱出したんじゃない?」ジュリアがいった。「パラシュートがあるんじゃない?」

オライリー先生は首をふった。

「仮に七人の宇宙飛行士が、どうにかしてスペースシャトルの爆発からのがれたとしても、海面に落下して生きのこることは不可能なんだ。人間は二万キロもの高さから落ちたら衝撃にはたえられない」オライリー先生の声は深刻だ。「どう考えてもね。不可能なんだよ。ほんとうに残念だ。ＮＡＳＡは海におちた宇宙飛行士をなんとか捜索しようとはするだろうけど、……残念ながら全員助からないだろう」

「みんな死んじゃった」そういったマロリーの声は、おとなしメアリーベスより小さい声だったし、泣きながらの声だった。「だれももどらない。家には帰れないんだ。だれも、……もうぜったいに……」

チェンバーズ先生は体をふるわせてしゃくりあげているマロリーの肩に腕をまわした。ほかの生徒たちは、みんな静かにテレビを見つめ、身じろぎひとつしない。ノヴァの体も凍りついたように動かない。でも、テレビを見つめるノヴァの頭は、いま見ているものの意味をなんとか理解しようとフル回転していた。これはルーク・スカイウォーカーがＧＩジョーのヘリコプターからとびだして、床におちたのとはわけがちがう。ほんとうにおきたことなんだ。

ほんとうに、七人の宇宙飛行士の命がうしなわれてしまった。

永遠に。

それに、ブリジットはどこ？

ブリジットはまだこない。約束したのに。

テレビのなかでは、フロリダの人たちが泣いている。

ノヴァのまわりでは、クラスメートが泣いている。

マロリーが泣いている。メアリーベスが泣いている。ジェレミアとジュリア、ザックも泣いている。

チェンバーズ先生が泣いている。オライリー先生が泣いている。

でも、ノヴァは泣いていない。

ノヴァには涙がのこっていない。ノヴァの涙はなくなってしまった。体のなかのどこかに消えた。ノヴァのこれまでの人生も全部。ノヴァは自分自身の頭のなかでも、自分自身の世界のなかでも、迷子になってしまった。宇宙で迷子になってしまった。ブリジットのいない宇宙で。

そして、とつぜんわかった。

ノヴァにはブリジットがどこにいるのか正確にわかった。ブリジットはいまも、ノヴァが最後にブリジットを見たあの場所にいる。

ブリジットはもう、ノヴァのところにはやってこない。ブリジットはもどってこない。

それなら、ノヴァがブリジットのもとにいくしかない。

ノヴァはナサベアをつかむと走りはじめた。教室をとびだし、廊下(ろうか)をかけぬけた。玄関(げんかん)ドアの直前まできたところで、うしろからチェンバーズ先生の声がきこえた。

「ノヴァ、とまって！」

でも、とまるわけにはいかない。ブリジットをさがさないと。ブリジットにこれまでにおこったことをつたえなければいけない。そして、ブリジットと苦しみをわかち合わないと。十二年間そうしてきたように、手をにぎりあって、お姉さんとその影(かげ)として、ふたりでいっしょにいる限り、なにもこわいことはないんだということをたしかめ合わないと。

チェンバーズ先生のヒールの音が廊下(ろうか)をおってくる。でも、ノヴァの足は速いし、スタートも早かった。ノヴァはドアの外にでた。

「ノヴァ！」

教職員用の駐車場(ちゅうしゃじょう)をぬけ、野球場の芝生(しばふ)を横切り、あの道路まで走りでた。

どこにいけばいいのかはわかっている。あそこにいくんだ。走って。

ノヴァの頭のなかで、おなじシーンが何度も何度もくり返された。それをとめることができない。カウントダウン。発射。一分。一分十秒。一分十二秒。一分十三秒。不吉な十三。

カウントダウン。

発射。

上昇。

爆発。

落下。

激突。

おしまい。

再突入　一九八六年一月二十八日

ブリジットへ

この手紙はわたしの頭のなかで書いている。だって、わたしは走っているから。ブリジットを見つけるために走ってる。どこにいるかはわかってる。最後に見たあの場所だ。でも、あそこにはもういないのかもしれない。ブリジットがわたしをさがしにきてくれるんだと思ってた。約束どおり、チャレンジャーの打ちあげをいっしょに見るんだと思ってた。そう約束したのに！

信じてたんだよ。いっしょににげだしてから何週間も、ずっとまってた。でも、わかったよ。ブリジットは嘘をついたんだって。ブリジットはもうもどってこない。ぜったいに、もう、もどってこない。ぜったいに、もう、チャレンジャーの打ちあげをわたしといっしょに見にはもどってこない。ぜったいに、もう、宇宙で最初の先生がわたしたちの夢をかなえるところを見ることはない。わたしはひとりで見なきゃいけなかった。

カウントダウンも、発射も、爆発も、わたしはひとりで見なきゃいけなかった。

あの炎、あの破片、あの煙、そして、空からおちてくる小さな灰色の機体を、わたしはひとりで見なきゃいけなかった。

地球の大気圏をぬけられなかったところも、星々にとどかなかったところも、わたしはひとりで見なきゃいけなかった。

あの人たちはもどってこないんだよ、ブリジット。みんないっちゃった。永遠に。

そして、ブリジットももどってこないんだね。

どうしてなのか、わたしは知っている。

思い出したんだ。

ブリジットは思い出した？　走っていると、木の葉が全部おちた木々が、ぼやけてすぎさる。

走っていると、なにもかもがはっきりした。

走っていると、わかってきた。

あれはあの日の午後にはじまった。ブリジットと里親の両親とのけんか。あの人たちは、ブリジットがあの男の子とあうのをやめさせたがっていた。音楽をきくのも、成績をおとすのも、「不良」になるのもやめさせたがっていた。あの人たちは、ずっといいつづけていた。「そんな不良じみたまねはやめなさい！」って。

すると、ブリジットはふたりにむかって、ものすごくきたないことばをいった。わたしがはじめて幼稚園にいった日に、先生にむかっていっていたあのことばだ。里親のお母さんは、ブリジットの頬を平手打ちした。

「もう、十分だ！」里親のお父さんがいった。「あすの朝、スティールさんに電話するからな。ノヴァはグループホームに逆もどりだ。おまえは少年院でもどこでもいくといい。ソーシャルワーカーにまともな知恵があるなら、かならずそうなるだろうさ！」

　ブリジットはふたりに、さっきよりもっときたないことばを吐きちらした。それをきいて、ブリジットがどんなにおこっているのかわかった。それから、階段を一段とばしでかけのぼり、わたしたちの部屋にはいると、ドアをバタンとしめた。

　その日の夜、里親たちがベッドにはいるとすぐに、ブリジットはわたしをおこして、服を着させて、静かにしているようにいった。わたしたちはハロウィン・パーティーをやっていたあの家にいくんだ。それがブリジットの計画だった。

　そのあとおぼえているのは、ブリジットのボーイフレンドの車の後部座席にすわっているところだ。わたしは体を前後にゆらしながらハミングしていた。ブリジットはわたしのシートベルトをしめると、わたしのおでこにキスして、心配しなくてだいじょうぶといった。それから、あごをトントンたたいていたわたしの指をどかしていったんだ。

「ついにやったんだよ、ノヴァ！　脱出成功！　ここから月にいくんだよ。わたしとノヴァとナサベア、それから、わたしたちのスペースシャトルとで」

だけど、わたしたちだけじゃなかった。ブリジットのボーイフレンドもいた。

ブリジットは、わたしたちは自由になるんだと約束した。

わたしたちがはなればなれになるまでは。でも、はなればなれになっても、かならずもどってくるっていった。ブリジットはそういったんだよ。

「わたしたちの惑星はきちんとしている、ノヴァ！　さあ、わたしたちの火山のすすはらいにいこう！」ブリジットは『星の王子さま』のことばを借りてそういったよね。

「オー、ケイ。ビジェ」わたしはすっかり信用してた。わたしは空を指さした。暗い空だ。真っ黒い空に明るい月がうかんでた。星がたくさんまたたいていた。わたしが大好きな感じの夜だった。ブリジットも好きな感じの夜。わたしはにっこり笑った。ブリジットもにっこり笑った。

「星はただのちっぽけな光じゃない。わたしたちをみちびく光なんだ！」これも『星の王子さま』から借りたことばだ。ほんとうは「旅人にとって星は案内役だけれど、ほかの人にとってはただのちっぽけな光だ」っていうんだけれど。

「なにを話してるんだよ？」スティールさんが「悪影響」といっていたブリジットのボーイフレンドがたずねた。銀のカギがいくつかついているキーホールダーのリングを、人差し指でぐるぐるまわしながら、微笑んでいる。

「わたしたちだけの秘密」ブリジットはいった。男の子は肩をすくめた。ブリジットは笑った。男の子は運転席に乗りこんだ。ブリジットはいつものように助手席。でも、わたしはうしろの席にわたしといっしょにすわってほしかった。男の子は片手でハンドルをにぎり、反対の手でキーをさしこんでまわした。

　わたしの席はブリジットのまうしろ。わたしが手をのばしてブリジットの髪にふれると、ブリジットは身をひいてふり返った。それから、フロントガラスに背をむけて座席にひざをついた。ブリジットはシートベルトをしめていない。ボーイフレンドもしめていない。しめているのはわたしだけ。

「さあ、にげだそう！　里親とはおさらばだよ、スーパー・ノヴァ。あちこち引っ越すのも、ばらばらにされては、またいっしょになって、またどこかにやられるのもおしまい。ずっとつづく家族になったふりをしてるくせに、ほんとうはそのときだけの家族なんか、もういらない。

これからは、わたしがずっとノヴァのめんどうをみるからね、わかった？」

「ムン」

「これからずっとだよ。なにがおこっても、もうだいじょうぶだから。わかった？　児童保護局の連中に見つかったら、きっとものすごく腹を立てると思う。あんまり腹を立てて、わたしたちを一生ひきはなそうとするかもしれない。だけどね、たとえそうなっても、わたしはかならずもどってくるって約束する。チャレンジャーの打ちあげにはかならずもどってくるし、そのあと、八月になったらわたしは十八歳になる。そうしたら、ノヴァを迎えにくることができるんだから。心配しないで。約束する」

そのときは、まだ心配だったけれど、ブリジットを安心させるためにいった。「オー、ケイ」って。

ブリジットはうしろの席に身を乗りだして、わたしの足元にあった古いリュックに手をのばした。そして、そこからナサベアをひっぱりだして、わたしに手わたした。「これから、この子はノヴァのものだから。ちゃんとめんどうみてあげてね」

わたしはどうしてなんだろうと、とまどっていた。でも、ブリジットは笑い声をあげると、自分の指にキスをして、その指でわたしの鼻の頭をちょんとつついた。間接キスだ。

「二〇〇〇年になるころには、人間はいつでも宇宙にでかけられるようになってるんだよ！　夏休みにディズニーランドやリゾート地のビーチにいくみたいにね。母親は夫にこういうんだ。『今年の夏はどうしようか？　カンザスのエムおばさんとヘンリーおじさんのところにいく？　それとも、子どもたちをつれて、また月にいきましょうか？』ってね。子どもたちは、宇宙船はたいくつだからって、気分転換にカンザスをえらぶかもね。わたしたちはナサベアもつれていくんだ。この子は世界で最初の宇宙飛行士グマになるんだよ。すごいでしょ！」

　運転席の男の子は声をあげて笑った。「なにいってんだ？　バカじゃねえの？」

　ブリジットはバカっていわれたのに、クスクス笑った。そして、男の子のほっぺにキスをした。わたしのほっぺが燃えるように熱くなった。どうして、この子にキスなんかするの？

「なあ、ノヴァ、音楽、好きなんだろう？」男の子はラジオをつけた。「これはな、六十年代と七十年代専門のラジオ局なんだ。デヴィッド・ボウイをかけてくれるかもよ！」

　そのチャンネルは気にいったけど、その男の子はきらいだった。ブリジットを長い時間ひとりじめして、わたしのことはほうっておかれるからだ。だから、わたしは「ムン」とはいわなかった。

車はものすごいスピードで走っている。つぎからつぎへと雪をかぶった木を通りすぎて、目がまわりそうだ。車に乗るのは好きじゃない。ロケットでもこんな感じなんだろうか？　車酔いするみたいに、宇宙船酔いするんだろうか？　たぶんだいじょうぶ。車よりもジェットコースターの方がロケットに近いけど、ジェットコースターには酔わなかった。

わたしはナサベアを抱きよせて、車酔いのことは考えないようにした。自分のあごを指でトントンしたくなったけどがまんした。不安になるとそうしたくなるけれど、ブリジットはわたしがそうするのを見たくないだろうと思ったから。ブリジットには心配をかけたくない。

ラジオの音がうるさい。うるさすぎる。わたしは片手で耳をおおい、もう片方の耳は肩におしあてた。こうすれば、あいた手でナサベアを抱ける。前の席ではふたりでおしゃべりをして笑い合っている。でも、ことばはきこえない。ブリジットが窓をあけると、もっと音が吹きこんできた。ブリジットは窓から身を乗りだした。足は車のなかだ。危ないよ。わたしは悲鳴をあげて「危ないよ！」ってさけびたかった。でも、口をひらいたけれど、音はでてこない。

男の子がブリジットの腕をつかんで、なかにひきもどした。

「なにやってんだよ？　死にたいのか？！」男の子は笑いながらいった。

雪がふりはじめたけれど、ブリジットは窓をしめようとしない。

寒かった。いつもなら、寒いのはきらいじゃないけど、その夜はちがった。コートを着ていなかったから。

車は速すぎる。ラジオはうるさすぎる。ブリジットがべつの局に変えた。アナウンサーの声がした。「一九八五年のヒットナンバーをカウントダウンしています！　つぎは第九位。マドンナの『クレイジー・フォー・ユー』！」

凍った道路で車がすこし横滑りした。

「おっと、尻をふったな！」男の子が笑いながらそういった。わたしはこわかったし、気持ちがわるかった。

「ビジェ」なんとかそういった。「ビジェ、ノー！」

ブリジットはきいていなかった。マドンナに合わせてうたっていた。そして、デヴィッド・ボウイのことなんかわすれたみたいに、「マドンナって最高」っていった。

わたしはもう、じっと静かになんてしていられなかった。キーッと悲鳴をあげ、ハミングして、体をゆらした。体をゆらすと、おなかにシートベルトが食いこんで痛かった。だからわたしは、ひざのあいだに頭がくるように前かがみになって、指をあごにおしつけて、ほっぺをナサベアにすりつけた。

速すぎるし、うるさすぎる。

車がまたお尻をふった。

男の子がきたないことばを吐いた。ブリジットが悲鳴をあげた。

車がクルッとスピンした。何度も何度も。そして、わたしが頭をあげる前にそれはおこった。

はげしい衝突。

前の座席がうしろにずれこんできて、わたしのひざにあたり、わたしの頭のてっぺんをおさえつけた。

天井がぐしゃりとつぶれておちてきて、わたしのほんの数センチ上でとまった。

頭をあげることができなかった。

ブリジットを見ることができない。ブリジットの声をきくことができない。

なんにもきこえない。

わたしは目をとじた。

真っ暗だ。

だれかがわたしを抱きあげる感じがして、わたしは気がついた。

ブリジットだ。そうにちがいない。ブリジットはわたしを里親の家に運んでいるところだ。コートをとりに。だって、わたしは寒かったから。ものすごく寒かったから。

わたしは、まだナサベアを抱いていた。

わたしの顔の横がぬれていた。髪の毛からなにかが口のなかにはいってくる。鉄の味がした。

血だ。

さわろうとしたけれど、手が重くて動かない。へとへとに疲れている。動けない。

「生きてるぞ！」男の人のさけび声がきこえた。わたしは片目をあけた。わたしを抱いているのはその男の人だった。ブリジットじゃなかった。「この子は息をしてるぞ！　ストレッチャーを！」

ブリジット？

「助かった子がいたのね！」女の人の声がした。ブリジットの声じゃない。

まだ雪がふっているけれど、冬の空気は煙の臭いがした。

わたしは両目をあけた。わたしたちが乗っていた車とおなじ色の、ねじまがった鉄のかたまりが見えた。でも、これがあの車のはずはない。屋根はないし、エンジンがおさまるすきまもない。革ジャンを着た笑っている男の子はいない。ブリジットもいない。

ひっくり返った大きなトラックが見えた。そのトラックは燃えていた。炎が高くあがっている。灰が顔におちてきた。火山が噴きだしたみたいな灰。

まわりじゅう、すごくうるさかった。さけび声、サイレン、火が燃えるパチパチという音。手で耳をおおいたかったけれど、動けない。

わたしはベッドの上に乗せられた。車輪のついたベッドだ。知らない人が、わたしの体をひもでしばる。

救急車だ。わたしは救急車のなかにいた。サイレンがさけんでる。さけび声は泣き声よりずっとずっときらいだ。

どこにいくのかわかっていた。病院だ。救急車がいくのは病院にきまっている。まだ、ブリジットの姿が見えない。声もきこえない。前の座席にすわってるの?

わたしは眠ってしまった。

目がさめたとき、わたしは病院の部屋にいた。部屋を見まわした。ナサベアがベッド脇のテーブルの上にいた。きれいで、毛もふわふわだ。だれかがお風呂にいれてくれたみたいに。

体じゅうが痛かった。頭も痛い。

廊下でだれかが小さな声で話していた。ひとりはスティールさんだ。わたしたちのソーシャルワーカーの。スティールさんならブリジットがどこにいるか知っているはず。

「あの子は質問には答えられません」スティールさんがいっている。「話せる単語はほんのふたつ三つですし、読むことも書くこともできないんです。自閉症で、言語能力がなく、重い知恵おくれです」

ブリジットがどなり返してくれるのをまった。だれかがわたしのことを知恵おくれといったら、いつもかならずそうしてくれていたように。でも、ブリジットもべつの部屋で寝ていたのかもしれない。だって、「妹は知恵おくれじゃありません。おしゃべりじゃなく、考える人なんです」とだれもいい返さなかったから。

「事故の状況を知りたいんです」きいたことのない男の人の声だ。「たったひとりの生存者なんですから」

「残念ですが、あの子は話せないんです」スティールさんがいった。

たったひとりの生存者?

そのときは、生存者の意味がわからなかった。でもいまは知っている。たったひとりの生きのこり。

でも、そんなはずがない。

だって、あのとき、ブリジットもいっしょにいたんだから。

そして、わたしたちがふたりともあの車に乗っていたんだとしたら……。

そして、生きのこったのがたったひとりだとしたら……。

そして、わたしは生きている。

ちがう。

なにかのまちがいだ。

わたしたちはいっしょに宇宙にいくんだよ。星々のあいだをかけのぼるんだ。わたしたちのあいだにはナサベアもいる。わたしたちは、夏休みをすごしに金星にいって、火星人にあいに火星にいくんだから！　月の上に足跡をのこしてくるんだから！

わたしはたどり着いた。

でも、ブリジットはいない。

わたしはひとりぼっち。

道路脇のあの場所でひざをついた。どれぐらいの時間、走っていたんだろう？

学校からの長い帰り道のとちゅうで、フランシーンとわたしは何度もこの場所を通りすぎた。ときどき、指さして、どんな気分？　ってたずねられたこともあった。わたしは目をとじて、フランシーンのことばがきこえないふりをしていた。

でも、いまわたしはここにいる。

あの事故のあとはじめて、まわりをよく見た。

道路にタイヤの跡はない。ねじれた鉄のかたまりの跡も、燃えるトラックの跡もない。雪もない。氷もない。

ただ、道路脇に凍った土の山があって、白い木の十字架が立っているだけだ。ファミレスでパンケーキを食べたあと、ジョーニーが見せてくれた十字架だ。

そして、いま、わかった。

ここが、ブリジットのいる場所なんだ。

ここが、ブリジットが最後を迎えた場所なんだ。

事故のおこった場所。

海。

静かの海。

わたしは十字架の脇に横たわった。ナサベアを枕がわりにして。

ブリジットはきてくれなかった。約束を破ったんだ。

わたしたちはチャレンジャーの打ちあげをいっしょに見るはずだったのに。

わたしたちは、先生がはじめて宇宙にいくところをいっしょに見るはずだったのに。

ブリジットはチャレンジャーの打ちあげのときに、もどってくるはずだったのに。

わたしがチャレンジャーの爆発を見たとき、ブリジットもいっしょにいるはずだったのに。

でも、ブリジットはこなかった。ここにいたから。

どうして、いままでわからなかったのか、それはわからない。スティールさんはブリジットになにがおこったのか話してくれた。フランシーンとビリーも話してくれた。ジョーニーも話してくれた。

だけど、ブリジットはもどってくると約束したし、約束を破ったことはなかった。だからわたしは、死も永遠につづくんだとは思わなかったのかもしれない。ブリジットの約束は死よりも強いんだと思ったのかもしれない。

たとえわたしが、たったひとりの生きのこりだったとしても、いつだって、ブリジットはわたしより強かったんだから。

わたしにはわからなかった。チャレンジャーが爆発するまでは。でも、いまはわかった。望んでも、どうしようもないことがあるんだって。

ときには、約束を守れないこともあるんだって。

ときには、宇宙飛行士だって、星に手がとどかないこともあるんだって。

ねえ、ブリジット、わたしにはわからなかったんだ。でも、いまはわかる。

きこえますか、トム少佐?

きこえますか……?

地球は青い。

そして、わたしにできることはなにもない。


ねえ、ブリジット、わたしの肩を抱くブリジットの腕を感じる。

耳にはブリジットの心臓の鼓動がきこえる。

わたしはひとりぼっちじゃないって、わかる。

わたしとブリジット、そしてナサベアはいつだっていっしょ。わたしたちのスペースシャトルも、あの月も。

ブリジットはわたしをさがしにこなかった。

だから、わたしがさがしにきたんだよ。

13

フランシーンが道路脇に車をとめた。フランシーンが車からとびだす。つづいてチェンバーズ先生も。

「ノヴァ?」フランシーンが先にノヴァにかけよった。ノヴァは木の十字架の脇に、横むきにちぢこまって横たわっていた。両手で耳をふさぎ、目をとじている。フランシーンはひざをついてノヴァの頭を胸に抱きかかえた。

ノヴァの耳に心臓の鼓動がきこえた。

ブリジット?

ちがう。

ノヴァはかすかに目をあけた。ノヴァの頭は重く感じられた。

「あたたかくしてあげないと」フランシーンがいった。「コートも着ないで外にいたんだから。こごえそう」フランシーンは自分のコートをぬいで、ノヴァをつつみこんだ。チェンバーズ先生のたすけを借りて抱きあげると、車まで運んだ。フランシーンは後部座席にやさしく寝かせ、チェンバーズ先生は自分のコートを毛布のようにノヴァにかけた。ふたりも車に乗りこんだ。フランシーンはキーをまわしてエンジンをかけた。

ノヴァは目をとじた。ノヴァは眠りたかった。

★
★
★

つぎに目をあけたとき、ノヴァは大きすぎる自分の部屋のベッドにいた。チキンスープとフランシーンの香水のにおいがした。

しばらくのあいだ、ノヴァは混乱していた。やがて、一気に思い出した。

病院の廊下で話すスティールさんと警官の声。

ブリジットの持ち物がはいった箱。

これから、新しい里親の家に送られる。

ビリーとフランシーンにはじめてあう。

でも、そのふたりはノヴァが入院しているときに、お見舞(みま)いにきた人たちだった。そのとき、フランシーンはドクター・スースの絵本を読んでくれた。ビリーはブラウニーをもってきてくれた。ノヴァはお葬式(そうしき)のあいだ、病院にいた。

いまノヴァはビリーとフランシーンの家にいる。ベッド脇(わき)にはフランシーンがすわっていて、ドアのそばにはビリーが立っている。ちょうど病院であったときみたいだ。フランシーンは絵本をもっていないけど。そのかわりに、フランシーンがノヴァの髪(かみ)をなでた。

「目をさましたわ」フランシーンがささやいた。

「ほんとうに心配したんだぞ」ビリーがいった。スープボウルをもっている。「おなかはへってないかい？」

ノヴァはベッドヘッドにもたれてすわった。すこしおなかがへっている。

「あなたにとって、きょうはとてもすばらしい日になると思ってた」フランシーンがいった。

ビリーはベッドサイドテーブルにスープボウルをおくと、木のおもちゃ箱に腰(こし)をおろした。

「あんなに打ちあげを楽しみにしていたのにね。なんていっていいかわからないけど、ほんとうに残念だったわね」フランシーンの声はかすれていた。

「きっと、なにもかもうまくいくさ」ビリーがいった。「さあ、スープをのんで」

フランシーンがボウルをもちあげて、ノヴァの口にスプーン一杯のスープを運んだ。ノヴァが思ったとおり、チキンヌードルスープだった。

ビリーがティッシュで鼻をかんだ。

「みんなノヴァのことを心配してたんだよ」ビリーがいう。「ぼくとフランシーン、ジョーニー、それにピアース先生やチェンバーズ先生、オライリー先生も。お願いだから、もう二度と、二度とあんな風に姿を消さないでほしいんだ。にげださないでほしい。ぼくやフランシーン、スティールさんぬきで学校からいなくなるのはやめてくれ。もう二度と。約束してほしいんだ」

ノヴァはビリーの顔を見て、フランシーンの顔に目を移した。ふたりとも、泣いていたみたいだ。フランシーンがスプーンをボウルにいれた。

どうして、ふたりは泣いているんだろう？

「もう二度と、あんな風ににげだしたりしないって約束してほしいの」フランシーンがやさしい声でいった。

「アー」ノヴァはいった。そしてうなずく。「ムン」

なぜだか、それをきいたフランシーンはさらにはげしく泣きだした。

「フランシーンはノヴァが話してくれてうれしいんだ」ビリーが説明した。うれしいのなら、どうしてフランシーンは泣いているの？

「今夜、ノヴァに話そうと思ってたことがあったの。っていうか、お願いしたいことが。晩ごはんのあと、デザートを食べながらって思ってた。ビリーがチーズケーキを作ったのよ」フランシーンがいった。

ノヴァは眉間にしわをよせた。お願いってなに？

「ぼくたちはね、ノヴァはあちこち移動しすぎたと思ってるんだ」ビリーは微笑んでいる。でも、フランシーンはまだ鼻をすすっている。「七年で十一か所だからね。これは正しいことじゃない」

「わたしたちはね、しばらくのあいだだけ、里親になろうかって思ってたの」フランシーンは目をぬぐいながら、またボウルに手をのばした。そして、まるで赤ちゃんに食べさせるようにスープをノヴァの口に運んだ。赤ちゃんあつかいされても、ノヴァはいやじゃなかった。

「うちの子たちはおとなになって、いまじゃぼくたちには孫がいるんだからね」とビリー。

「だけどぼくたちは、いまでもまだ親でいられるんじゃないかって思ったんだ。それで、里親になろうってきめた」

「そうなの。そんなとき、新聞でブリジットのことを読んだの。その記事にあなたのことも書いてあった。わたしたちはね、これは運命なんじゃないかって思った」

　またこのことばだ。運命。ノヴァはことばが話せないのがもどかしかった。話せたら「運命」ということばの意味をきけるのに。ノヴァはボウルをもっているフランシーンの手をベッドサイドテーブルの方に動かした。もう、おなかはへっていない。

「きみは生きのこった」ビリーがいう。「そして、きみには家族が必要だった」

「わたしたちは、その家族になりたいの」フランシーンがいった。「それが、晩ごはんのあとでお願いしたいと思ってたこと」

「永遠の家族だよ」ビリーがつけたした。

　フランシーンがベッド脇の椅子から、ノヴァのベッドのはしにすわり直した。「そう、しばらくのあいだだけの家族じゃなくて、里親の家族でもない、ほんものの、ずっとつづく家族よ。

わたしたちはあなたを養子に迎えたいの」

「だからきょうは、とても幸せな日になるはずだったんだ」ビリーがさっきまでフランシーンがすわっていた椅子にすわっていった。それから、手をのばし、ノヴァの手をぎゅっとにぎった。「りっぱなスピーチも用意してたんだよ。星に手をのばし、夢をおいかけよう……」

フランシーンがビリーのスピーチをさえぎった。「わたしたちはね、病院ではじめてあった日からノヴァが大好きになったんだ。ほら、寝ているあいだに本を読んだとき。あのとき、養子縁組の手続きをはじめたいって思ったの。でも……」

「でも、スティールさんに、まずはしばらく里親になる必要があるっていわれた。ほんのしばらくのあいだだったけど、ぼくたちはうまくやれてると思ってた」

ノヴァはにっこり笑った。ビリーとフランシーンが、たがいに相手のことばをひきとって話をつづけるようすがおもしろかった。

「息子たちは、はやくノヴァにあいたくてうずうずしてるよ」ビリーがいった。「ジョーニーから、さんざんきみのことをきかされてるからね。ジョーニーは妹ができるのをすごくよろこんでる。それに、ぼくたちの孫たちも楽しみにしているよ。あの子たちも、ぼくたちとおなじくらいノヴァのことが好きになるだろうね」

フランシーンがノヴァの方に体をよせて、ノヴァの髪(かみ)をまたさわった。「いまの話、どう思う？　あなたがわたしたちの話をわかってるのは知ってる。それでね、もしわたしたちの養子になりたいって思ってくれるなら、うなずいてほしいの。『オーケイ』っていってくれてもいい。もし、わたしたちと家族になりたいって思ってくれるなら、もし、それをうれしいと思ってくれるなら……わたしたちにつたえてほしいの」

ノヴァはフランシーンの手をどけた。それからビリーににぎられている手をひきぬいた。そして、両ひじをはって、せいいっぱい体をまっすぐにおこした。ノヴァはじっくり考えた。

「アー」

ついに永遠の家族が見つかったのかもしれない。ほんものの家族が。

ブリジットはどう思うだろうかと考えた。

「アー？」フランシーンがたずねる。「それは……」

「きみを養子にしていいのかな？」ビリーがたずねる。「ＯＫなのかな？」

ノヴァは注意深く目を合わせた。まず、フランシーンのミッドナイトブルーの目と。つぎには、ビリーのローアンバーの目と。それから、すぐに目をそらした。ほかの人の目を見つめるのは苦手だから。

そして、自分にだせるせいいっぱいはっきりした声でいった。「オー、ケイ」

スーパー・ノヴァ　一九八六年二月一日

ブリジットへ

チャレンジャーの事故から四日たった。ブリジットがもどってこないってわかってから四日。フランシーンとビリーに養子にしたいといわれてから四日。まだ、学校にはもどっていない。未来の永遠の家族とナサベアといっしょにこの家にいて、いろいろ考えてる。

それから、話してる。

ときには、ブリジットに話していたように大きな声で話すこともある。ビリーとフランシーンはなんとか理解しようとしてるけど、むずかしいみたい。それで、この三日、フランシーンはわたしのためにことばや絵を描いている。ゴールデンロッド色の太陽が表紙についてるスパイラルノートに。そのノートには食べ物のページや本のページ、家族のページや友だちのページ、場所のページ、宇宙のページ、それに学校のページも二ページある。ナサベアは家族のページじゃなくて宇宙のページにいるけど、それはそれでかまわない。

フランシーンからは、わたしが学校にもどったら、ピアース先生がたっぷり時間をかけてコミュニケーションの勉強をするってきいている。チェンバーズ先生もだ。でも、ブリジットぬきで話をするのはむずかしい。

ブリジットともう二度と話ができないのはとてもつらい。

きのう、ビリーとフランシーンがあの道路脇の白い十字架のところにつれていってくれた。三人でいっしょに、十字架にブリジットの名前を書いた。筆をにぎるわたしの手を、フランシーンがささえてくれた。それから、この二週間、ブリジットあてに書いたわたしの手紙がつまったブリキ缶を、ビリーに手伝ってもらって根元に埋めた。でも、いま書いているこの手紙はべつ。この手紙はとっておく。それから、そのブリキ缶にはくすねた小さな宇宙飛行士人形とチャレンジャーの事故が載っている新聞記事の切りぬきもいれた。

ブリジットが作った『スペイス・オディティ』がはいったカセットテープはわたしがもって

いる。

ねえ、ブリジット。わたしはまだ、宇宙飛行士になるのをあきらめてないよ。爆発事故からまだ四日しかたっていないのはわかっているし、ビリーも今後の宇宙計画がどうなるかはわからないっていってるけど、わたしは信じてる。きっとまた宇宙飛行士を宇宙に送りだすって。いつか、わたしもそのひとりになりたい。それは、夏休みにディズニーランドやリゾートビーチにいくような気軽なものじゃないかもしれない。だって、宇宙旅行は真剣な仕事なんだから。それでも、わたしは宇宙で最初の自閉症の女の子になるかもしれない。

フランシーンは、わたしにはなんだってできるっていう。わたしはかしこくて、勇敢なんだって。

それから、いまでもブリジットはわたしのことを見ているっていう。だからわたしは、ブリジットに誇らしく思ってもらえるようにがんばるんだ。

ブリジットはもう宇宙にいて、わたしをまってるって考えるのは楽しい。わたしが年をとって死んだら、わたしたちの秘密の惑星であおうね。星の王子さまみたいに、ふたりでいっしょにわたしたちの火山のすすはらいをしようね。

きのうの夜、フランシーンはわたしの天文学のクラスの本のなかで「ノヴァ――新星」のページを見つけた。ノヴァというのは、スーパー・ノヴァ――超新星みたいに星の生涯のおわりの大爆発ではないことがわかった。ノヴァというのは白色矮星でおこる爆発で、活動のにぶい星がとつぜん、明るく明るくかがやいて、太陽や月のつぎに明るくなるものなんだって。そして、やがてふつうの星にもどるんだ。スーパー・ノヴァは星を殺す。だけどノヴァはちがう。ノヴァのなかでは、星は爆発のあとも生きのこるんだよ。

それがわたしだよ、ブリジット。

わたしは生きのこった。

ブリジットはいってしまった。

だけど、わたしは生きつづける。

あいたいよ。

ノヴァより愛をこめて

著者より

チャレンジャーの打ちあげ予定は、当初から、本書でしめしている一月二十八日（火）だったわけではありません。実際には、打ちあげは数度にわたって延期されました。打ちあげが決行された朝、計画に携わっている人の一部には、気温が低すぎて、打ちあげには適さないと考えていた人もいました。しかし、すでに何度も延期されていたこともあって、警告にもかかわらずNASAは決行したのです。ロサンゼルスから生放送をしていたNBCは、シャトルにはつららができているものの、打ちあげの際に砕けおちるだろうとレポートしています。爆発の直前、アナウンサーは、「つららについて、宇宙飛行士がのちほどチェックするだろう」といっています。

打ちあげに携わっていたメンバーの数人は、チャレンジャーが離陸できるかどうかもあやしいと考えていた人もいました。そのため、彼らは離陸成功に大喜びしたのですが、離陸からわずか七十三秒後に、こなごなになってしまったのです。アナウンサーたちやテレビの視聴者は、爆発を確信しましたが、現地で見学していた人たちには、爆発音はきこえず、エンジン音がとだえた沈黙だけがひろがっていました。シャトルの外部燃料タンクが空中分解して爆発し、巨大な火の玉と大量の煙を噴出しました。

のちに、この悲劇の原因はロケットブースターの部品を隔離するためにつかわれていた二個のゴム製Oリングの不備だと判明しました。どちらのOリングも寒さのせいで正常に機能しなかったのですから、事故は避けられただけではなく、事前に専門家たちも心配していたことでした。

この悲劇はテレビで生中継され、ノヴァの教室とおなじように多くの学校で子どもたちの目にふれることとなりました。

＊＊＊＊＊

「ときには星にむかってさしのべた手がとどかないこともある。しかし、われわれはその痛みにたえ、ふたたび立ちあがり、また手をのばさなければならない。われわれがなぐさめを見いだすのは、ただ信念のなかにのみだ。なぜなら、われわれは心の底で、あんなにも高く、あんなにも堂々と舞いあがったきみたちの安息の地は、星々のかなたにあることを知っているからだ。

アメリカ大統領ロナルド・レーガン

一九八六年二月一日におこなわれたチャレンジャー追悼式典より

チャレンジャーの事故によって、アメリカの宇宙計画は二年以上中断されましたが、二〇〇七年には、宇宙授業の教師をえらぶコンテストでクリスタ・マコーリフについで次点だったバーバラ・モーガンが、ついに宇宙に進出した最初の教師になりました。

モーガンはチャレンジャーの事故以来、およそ十年にわたって宇宙飛行士になるための訓練を受けました。モーガンは公認のミッションスペシャリスト（宇宙船搭乗運用技術者）で、アマチュア無線技士でもありました。最初の宇宙旅行から無事帰還して三週間後、モーガンはウォルト・ディズニー・ワールドで、生徒たちのグループの前でこう語っています。

「あなたの夢にむかって手をのばしてください……大空に限界はありません」

このことばは、宇宙計画をたたえる壁の銘板にきざまれ、「宇宙はすべての人のもの」ということばではじまるマコーリフの銘板のとなりにかかげられています。

「すべての人」のなかにはノヴァのように自閉症でことばを話せない人もふくまれています。自閉症の人の多くは、ことばを話せないため、コミュニケーションにはほかの方法をつかいます。残念なことに、長いあいだ、ことばを話せない人の選択肢はかぎられていました。今日では、自閉症への理解もひろがり、ノヴァのような人々にも最新のテクノロジーがつかわれるようになり、コミュニケーションははるかに便利になっています。タブレットや会話用の機器を携行し、ボタン操作ひとつで事前にプログラムされた音声や図版をだしたり、キーボード入力で文字をしめすこともできます。

こうしたデバイスやプログラムの多くには、PECS（絵カード交換式コミュニケーションシステム）が組みこまれており、個別のコミュニケーションや、文章の作成につかうことができます。ことばを話せない人にとって、手話もコミュニケーションの手段のひとつです。これらの方法はことばを話せない自閉症の子どもだけではなく、脳卒中による失語症など、なんらかの理由でことばによるコミュニケーションがむずかしい人たちにもたいへん役に立つものです。

ことばを話せない人は、話しかけられたことばを理解することもできないという誤解がひろくあり、そのため、ノヴァがであった多くのおとなは、短い単純なことばを大きな声で投げかけます。ブリジットはけっしてそのようにはしていませんし、フランシーンも同様なのはとても重要な点です。また、ノヴァの教師たちのようにかんたんなことばで書かれた絵本ばかりを読むのではなく、小説を読んできかせることもノヴァにとってはとてもだいじなことです。ミドルスクールに通う自閉症の子どもの多くは、絵本よりも読み物の方を好みます。ノヴァのようにまだ自分では読めない子どもでも、それは同様です。もちろん、絵本が大好きでも、なにも問題はありません!

一九六九年に月面に踏みだしたニール・アームストロングはこう語りました。

「これはひとりの人間にとっては小さな一歩だが、人類にとっては偉大な飛躍である」

原語ではききとりにくいことばがあったため、このことばはまちがって引用される世界一有名なことばになってしまいました。ノヴァにとっては、こうしたまちがいが大きなストレスになるため、わたしはブリジットには常に正確に引用させるようにすることにきめました。

最初に自閉症ということばが用いられたのは百年以上も前のことですが、その定義や意味合いはかなり変わってきています。ノヴァが学校に通っていた当時、自閉症についてはほとんど理解されていませんでした。このことばは、米国精神医学会が発行する「精神障害の診断およよび統計マニュアル」一九八〇年版ではじめて独立した症状として記載されたのです。当時、一般の人が信じていた自閉症についての知識の一部は、現在ではまちがいだったことが知られています。

一九九一年、連邦政府は自閉症を特殊教育カテゴリーに分類しました。これはつまり、自閉症スペクトラムの子どもたちを、症状に応じて、それぞれに必要とされる個別の教育や補助的なテクノロジーをつかって支援するということです。ノヴァが十二歳のとき、アメリカには千人にひとりが自閉症児とされていました。二〇一八年には、分類の変化とよりよい理解のひろがりによって、四十五人にひとりとされています。

ノヴァは多くの感覚障害をかかえているため、日常の生活は苦難だらけです。音は苦痛をあたえ、衣服はたえられない不快感をあたえ、食べ物の食感が不安感をよびます。そんなノヴァがメルトダウンをおこすのは、感情的な苦痛や感覚の違和感が限界を超えたときです。混乱して、身のまわりの不快な音をしめだすことがむずかしくなるのです。

一九八六年当時、ノヴァのように自分で自分を傷つけたり、さけんだり、床にたおれてあばれたりする行為は、「発作」とか「かんしゃく」と呼ばれていました。しかし、わたしはフランシーンにメルトダウンと呼ばせることにしました。なぜなら、読者のみなさんに、ノヴァの行動が、過剰な刺激や「圧倒される」ことによるものだと知っていただくことが重要だと考えたからです。けっして、かんしゃくなどではないのです。

ブリジットとノヴァが特にきらったレッテルに「重い知恵おくれ（severely mentally retarded)」があります。知恵おくれ(mentally retardation)ということばは、一八九五年ごろから悪意のある「白痴(idiocy)」に代わるものとしてつかわれはじめましたが、時間の経過とともに、このことばも人を傷つけるものになってきました。

一九六〇年代になると、知恵おくれということばは、症状と侮蔑の両方でつかわれるようになり、その後、四十年にもわたって二重の意味をもちつづけました。ノヴァが十二歳のとき、知恵おくれはノヴァのような人に対してよくつかわれることばのひとつでしたが、家庭科の授業でのニンジン・クリステルのように、このことばをほかの子どもから投げかけられるのはとても残酷なことです。

このことばのおきかえには長い時間がかかりました。一九九二年、アメリカの知的障害者協会（the Association for Retarded Citizens of the United States）は、アメリカArc（Arc of the United States）と名を変え、二〇〇七年には、アメリカ精神遅滞協会（the American Association on Mental Retardation）は、アメリカ知的・発達障害協会（the American Association on Intellectual and Developmental Disabilities）に名を改めました。

二〇一〇年、オバマ大統領は、アメリカの労働、保健福祉、教育における公的文章で「知恵おくれ」を「知的障害者(individuals with intellectual disabilities)」におきかえることを命じるローザ法に署名しました。そして、二〇一三年、ついに「精神障害の診断および統計マニュアル（DSM―5）」が更新され、「知恵おくれ」が「知的障害」におきかえられました。ただし、「認知遅滞(cognitively delayed)」や「発達遅滞(developmentally delayed)」ということばは現在もつかわれています。

子どものころ、わたしは「偏屈」とか「気むずかし屋」「ぼんやり者」などと呼ばれていました。広範で多様な感覚障害、強迫神経症、過剰な想像力などの問題をかかえていたからです。このようなことはアスペルガー症候群の特質ですが、女子の場合、男子とちがったあらわれ方になることが多いため、わたしが認定専門行動分析医からアスペルガー症候群かもしれないと告げられたのは、おとなになってからのことでした。以前はアスペルガー症候群の女子に関しては、くわしい研究がされていなかったこともきかされました。

ノヴァの自閉症スペクトラム的な行動は、わたし自身の経験をもとにしていますが、ことばを発することができず、読むことがむずかしく、書くこともできない状態に描いたのは、電子機器によるコミュニケーションが可能になる以前の孤立した姿をしめすためでもありました。自閉症スペクトラム障害の判定基準を大きくひろげたDSM―5が発行された現在では、アスペルガーはそのなかの単独の症状とはされていません。

宇宙に関する知識の多くも一九八六年とは大きく変わっています。たとえば、ノヴァの在学中は太陽系の惑星は九つでしたが、二〇〇六年、冥王星が準惑星に格下げされ八つになりました。また、海王星には月がふたつあると考えられていましたが、実際には十四個あることがわかっています。さらに、現在では国際宇宙ステーションがあり、そこではアメリカ、ロシア、日本、ヨーロッパの国々の宇宙飛行士が常時地球のまわりをまわっています。そして、二〇一五年、火星に液状の水が見つかりました。火星で夏休みをすごすことはできませんが。いまのところはまだ！

謝辞

一冊の本を書きあげるのは、月への旅行とすこしばかり似ています。どちらも、助け、導くなかまなしに着地することは不可能だからです。幸いにも、本書「スーパー・ノヴァ」を最高のものに仕上げるうえで、わたしはすばらしいなかまにめぐまれました。

はじまりは『If You're Out There』の著者で、作品をお互いに批評しあう仲のケイティー・ラッツェンヒザーでした。ニューヨークのブルックリン地区じゅうのカフェで書き、愚痴をいい、多すぎるカフェインを摂取するのにつきあってくれてありがとう。数年にわたってはげまし、読み、耳をかたむけてくれたジェニファー・クーン、ディーン・クボタ、キャンダース・ローザス、トーニャ・ブロック、クリス・アラードに感謝を。

家族のささえがなければ、なにひとつ書くことはできなかったでしょう。本はかゆみどめのような存在になっている母さんのアン、眠りにつく前に第一章のほぼ全体を書きあげる手伝いをしてくれたこと、そして、復員軍人支援協会のみなさんとブック・ニュースを共有してくれてありがとう。つぎの作品には自分のことを書いてほしいといっている父さんのティム、わたしがいないときにはやんちゃな子猫シェークスピアに餌をあげてくれている弟のタイラー、さらにミーム、ペペ、おばあちゃん、アビ、アメリア、デブ、ローレンにも千回のありがとうを。そして、この本をささげている七人のすばらしい子どもたちには虹色のハートの絵文字を。

この本を一気に読み通し、泣いてしまったといってくれた卓越したエージェント、ケイティー・グリムには、もうしわけないけど、泣かせることができてすごく幸せといいたい！　ノヴァの物語をより強固で豊かに仕上げるのをたすけてくれてありがとう。あなた以上にすばらしいエージェントは想像もできません。

ケイティーにも話したのですが、わたしにとってあこがれの編集者はずっとウェンディー・ラムでした。ウェンディーとアシスタントのダナ・ケアリーには、その見識と調査能力、気配りと編集能力にいくら感謝してもたりません。すべての過程は信じられないほどすばらしく、ふたりと仕事ができ、導いていただき、ほんとうにありがとうございました。キャロライン・ガートラー、シルビア・アルマティーンのふたりにも有益な助言をいただきました。

とりちらかった覚書をほんものの本「スーパー・ノヴァ」に仕上げる手だすけをしてくだ

さったウエンディー・ラム・ブックスとペンギン・ランダムハウスのすべてのみなさんにありがとうを。そのなかにはもちろん、デザイナーのレスリー・メカニック、原本のカバー絵のジュンスク・リー、リーダーのエレナ・ミューズ、コピーエディターのバーバラ・ペリス、コリーン・フェリンガム、アリソン・コラニもふくまれています。デヴィッド・ボウイの『スペイス・オディティ』の歌詞の使用を許可してくれたロンドンのオンワード・ミュージック社、ニューヨークのＴＲＯ・エセックス・ミュージック・インターナショナル社にも感謝を。

初期の段階で読んでくださったみなさんにもお世話になりました。ケイシー・ランディ、ロリ・ガリティ、アマンダ・プロノボスト、ジェニファー・ジョン、ヘザー・クレイブン、アレクサ・ダルペ、ステフ・ヘバート、エイミー・リン・トンプソン、キャロリン・ホーイ・ハケットのみなさんです。

完成後、ノヴァの物語をマッケンジー・ペロキン、ソフィー・ダーマン、ミードウ・スイートの三人の子どもたちに読んでもらったのですが、そのときはどきどきわくわくしました。バディの手話に関してたすけてくれたベス・カーコネルと、本書を出版可能レベルにまでひきあげてくれたピッチウォーズの偉大な指導者エリー・テリーにも感謝を。ピッチウォーズをとおして、シンディー・ボールドウィン、アマンダ・ローソン・ヒル、ヘレン・ホアン、ヤエル・メーメルスティーンらのすぐれた作家とであうことができました。ヤエルのクラスはチャレンジャーの打ちあげにフロリダで参加していたため、あの事故を目の前で目撃したそうで、彼女の意見はかけがえのないものになりました。

信憑性を高めるために読んでいただいたみなさんにも心からの感謝を。自閉症の分野で活躍されていて、貴重な参考意見をくださったみなさんにも感謝いたします。なかでも二十五年にもわたって自閉症の子どもたちを教えてきたコネティカット州公認の特別支援学校教師クリス・アラード、一九八六年当時、自閉症スペクトラムの子どもたちが公立学校でどのような教育を受けていたか教えてくださった行動分析医のボブ・ワーシャム博士に感謝を。またリリー・コブレンツ博士にもたいへんお世話になりました。下書きの段階で読んでいただいたみなさんのなかには、特殊教育の分野で活躍されているかたや、ご自身が自閉症のかたもいらっしゃいました。

六年生のころから大学院までにお世話になった作文の先生方とであわなかったなら、作家になるなどとは夢にも思わなかったことでしょう。ウィーゲル先生、ムーディ先生、ウォーターズ先生、カログティエレス先生、マーティン先生、チボー先生、リサ・ロー・フラウスティーノ先生、ナンシー・ルース・パターソン先生、アマンダ・コックレル先生、そして、『星の王子さま』を教えてくれたフランス語のローズ先生、ありがとうございました。

　最後に、一九八六年のスペースシャトル・チャレンジャーの乗組員七人の名前をあげて、記憶にとどめたいと思います。クリスタ・マコーリフ、ロナルド・Ｅ・マクネア博士、ジュディス・Ａ・レズニク博士、フランシス・Ｒ・スコビー、グレゴリー・ジャービス、エリソン・Ｓ・オニヅカ、マイク・Ｊ・スミスのみなさんです。そして、一九八三年に打ちあげられたチャレンジャーに搭乗し、アメリカで最初の女性宇宙飛行士になり、のちにチャレンジャー事故の調査にあたったサリー・Ｋ・ライド博士の名も。

「宇宙はすべての人のもの」クリスタ・マコーリフ

『スペイス・オディティ』

デヴィッド・ボウイ詞

地球管制塔よりトム少佐へ
地球管制塔よりトム少佐へ
プロテインをのんで、ヘルメットを装着せよ

地球管制塔よりトム少佐へ
カウントダウンを開始する
エンジン始動
点火を確認
神のご加護を

（テン、ナイン、エイト、セブン、シックス、ファイブ、
フォー、スリー、ツー、ワン、発射）

こちら地球管制塔よりトム少佐へ
打ちあげ成功
新聞記者は、きみがだれのシャツを着ているか知りたがっている
さあ、いまこそカプセルからでるときだ

こちらトム少佐より地球管制塔へ
いまドアからでた
すごくおかしな姿勢でただよっている
きょうの星は、いつもとずいぶんちがって見える

こうして

世界のはるかかなたで
ブリキ缶のなかにすわっていると
地球は青いよ
そして、わたしにできることはなにもない

十万マイルをこえてきたけれど
気分はとてもおだやかだ
それに、この宇宙船は行き先を知っているだろう
妻に心から愛していると伝えてほしい

地球管制塔よりトム少佐へ
回線がとだえた
どこかがおかしい
きこえますか、トム少佐?

きこえますか、トム少佐？
きこえますか、トム少佐？
きこえ……

月のはるかかなたで
ブリキ缶のまわりをただよっていると
地球は青いよ
そして、わたしにできることはなにもない

著者
ニコール・パンティルイーキス

イースタン・コネチカット州立大学にて劇作を学ぶ。劇作品はコネチカット州やニューヨーク市の多くの劇場や学校で上演されている。学校で自閉症児に作文を教えたり、言語によるコミュニケーションに障害のある子どもを補助した経験がある。作家としては本書がデビュー作。

訳者
千葉茂樹
ちば しげき

国際基督教大学卒業後、児童書編集者を経て翻訳家に。訳書に『リスタート』『スタンリーとちいさな火星人』（以上あすなろ書房）、『マルセロ・イン・ザ・リアルワールド』（岩波書店）、『ピーティ』（鈴木出版）、『ベストマン』（小学館）、など多数ある。

スーパー・ノヴァ

2020年11月30日　初版発行

著者　ニコール・パンティルイーキス
訳者　千葉茂樹
発行者　山浦真一
発行所　あすなろ書房
〒162-0041 東京都新宿区早稲田鶴巻町551-4
電話 03-3203-3350（代表）
印刷所　佐久印刷所
製本所　ナショナル製本

ISBN978-4-7515-3032-0 NDC933 Printed in Japan